BREVE HISTORIA DE
LOS AZTECAS

BREVE HISTORIA DE
LOS AZTECAS

Marco Antonio Cervera Obregón

nowtilus

Colección: Breve Historia
www.brevehistoria.com

Título: Breve Historia de los Aztecas
Autor: © Marco Antonio Cervera Obregón

Copyright de la presente edición: © 2008 Ediciones Nowtilus, S.L.
Doña Juana I de Castilla 44, 3° C, 28027 Madrid
www.nowtilus.com

Editor: Santos Rodríguez
Coordinador editorial: José Luis Torres Vitolas

Diseño y realización de cubiertas: Murray
Diseño interior de la colección: JLTV
Maquetación: Claudia Rueda Ceppi

ISBN-13: 978-84-9763-522-6
Fecha de edición: Mayo 2008

Printed in Spain
Imprime: Estugraf Impresores S.L.
Depósito legal: M-18709-2008

Dedicado a la señora del Montseny,
fruto del esfuerzo que dedicó todos los días en un
país extranjero para conseguir sus objetivos;
Guadalupe Obregón Mancebo del Castillo y a la
labor de la vieja guardia, Miguel León Portilla, Alfredo
López Austin, Eduardo Matos Moctezuma y Felipe
Solís Olguín.

ÍNDICE

POR TIERRA
DE LOS AZTECAS

1

Mesoamérica

Corre el año 1250 a.C. y los pobladores de una pequeña aldea han comenzado los preparativos para enterrar a uno de los miembros más viejos de la familia, uno de los personajes más importantes dentro de las cinco chozas que conforman la aldea. Habitaba la choza más grande, construida de bajareque y lodo, y debido a la época de lluvias (generalmente a mediados de año) la han colocado sobre una rampa, también de lodo y piedras, para evitar las inundaciones.

Desde días antes, la vida en esta familia pasa como en cualquier otra, las mujeres dedicadas a criar a los niños, preparando los alimentos y elaborando recipientes cerámicos de colores negro, blanco y café con adornos en color rojo. En ocasiones también se dedican a producir su ropa y la de su familia, elaborándola con fibras de una planta que es común en su zona, el maguey. Ellas simplemente utilizan faldas que enredan desde su cintura, y trenzan sus cabellos con lienzos de tela que les permiten lucir bien para sus maridos y no les entorpecen en la realización de las tareas del hogar, ya que sus cabellos son muy largos.

Los hombres, que visten pequeños lienzos de tela que prácticamente solo cubren el sexo, salen desde muy temprano a la zona lacustre cercana a sus casas para dedicarse a atrapar pequeños peces e insectos. Acompañados de sus hijos, les enseñan a utilizar algunas de sus herramientas de trabajo como hondas y lanza dardos para poder, de vez en vez, cazar algunos patos para la comida o la cena.

Sin embargo, la muerte de un familiar les demanda iniciar un ceremonial. El representante religioso de la aldea, un chamán, preside los actos. Se abre un hueco bastante profundo dentro del suelo de la casa, entre varios se apoyan para sujetar el cuerpo del fallecido y lo depositan en esta oquedad; son muy cuidadosos en cuanto a la posición, ya que deberá quedar colocado de espaldas y bien extendido. Siguiendo varios actos rituales, introducen diferentes objetos que acompañarán al difunto en su lecho de muerte, entre ellos destacan vasijas y figurillas cerámicas que representan animales y personajes de su vida cotidiana (probablemente familiares), así como algunos espejos de pirita. La vida continuará para el resto de la familia hasta que un personaje más fallezca y sea enterrado junto con el anciano dentro de la casa repitiéndose entonces las mismas operaciones.

Estado de México, corre el año de 1942 y el pequeño municipio de Naucalpan de Juárez se estremece cuando un grupo de arqueólogos comienza a desenterrar una gran cantidad de restos óseos humanos entre los que se encuentran los de una familia que habitaba la región hace más de 2.000 años. La aldea, hoy desaparecida, yace bajo una fábrica de ladrillos y recibe el nombre de Tlatilco. Ya antes otros arqueólogos habían descubierto algunos enterramientos acompañados de vasijas cerámicas muy parecidas a estas, y habían dado el término de Culturas del Preclásico a sus habitantes, unos de los primeros grupos sedentarios de la entonces Mesoamérica. Es bajo este término, Preclásico o Formativo, como se reconoce por los especialistas al primer periodo (comprendido entre los años 2500 a.C. al 200 d.C.), que dará inicio a la historia precolombina de México.

En ese momento, lo que actualmente es el territorio mexicano estaba habitado por una gran diversidad de pueblos con un largo historial de hace ya varios cientos de años, que mantenían una estrecha afinidad cultural. Ellos irán conformando las bases de toda una tradición que, con el tiempo, les permitirá desarrollar la tecnología y los conocimientos necesarios para fundar grandes y majestuosas ciudades en lugares como el actual Occidente de México, la Costa del Golfo, el Altiplano Central, estados como Guerrero y Oaxaca y lo que se ha dado en llamar la zona maya, que comprende gran parte del sur de México y otros países, como Guatemala, Honduras y Belice.

Prácticamente todo lo que conocemos del periodo Preclásico, como lo denominaremos a lo largo de nuestra historia, lo conocemos por las evidencias arqueológicas, no tenemos un archivo de personajes y hechos históricos propiamente dicho que acompañe al relato, salvo en lugares como la zona maya, donde la epigrafía (disciplina que ayuda a descifrar la escritura plasmada en piedra) comienza a darnos información de algunos sucesos relevantes; entre tanto, gracias a la arqueología podemos reconstruir parte del modo de vida de las culturas preclásicas.

Siguiendo nuestro relato... en tanto los habitantes de Tlatilco, al centro de México, disfrutaban de una vida apacible en las riveras de los lagos, en la Costa del Golfo, los grandes señores de ciudades como La Venta apoyaban expediciones comerciales que llegaban a consolidar relaciones con las demás sociedades de buena parte de Mesoamérica, incluyendo regiones tan apartadas como el Pacífico. Parte de la riqueza obtenida estaba destinada a la elaboración de grandes esculturas, que serían símbolo de su grandeza. Imaginemos por un momento a varios personajes de talla mediana, robustos, con la cabeza deformada en forma de pera invertida, arrastrando un gran bloque de roca volcánica extraída de las laderas del volcán de los Tuxtlas, Veracruz. Con mucho cuidado y esfuerzo colocan unos grandes troncos de madera perfectamente acomodados y sujetos con lianas, con los cuales construyen una pequeña embarcación. Sobre ella colocan las monumentales rocas, que finalmente trasladan a través del río Coatzacoalcos hasta su ciudad. Ya en ella, comienzan a tallar a golpe de piedra hasta lograr finalmente el rostro de un serio personaje, que lleva puesto un gran tocado que rodea toda su cabeza; se trata del retrato mismo de su gobernante.

Este tipo de manifestaciones plásticas sería reproducido una y otra vez en buena parte de la Costa del Golfo mexicano, esculturas conocidas desde el siglo XIX como cabezas colosales. Muchos siglos después los aztecas bautizaron al pueblo constructor de estas insignes esculturas (que ya suman más de 10) como olmeca, los misteriosos "habitantes del país del hule".

Los olmecas cultivaban en las riveras de los ríos, de donde podían obtener gran cantidad de alimentos como pescado y algunos moluscos, y que complementaban con la caza de algunos animales y la siembra de maíz y yuca. Satisfechas sus necesidades primarias, tenían oportunidad de desarrollar hermosos objetos de piedra verde, que encierran un simbolismo religioso asociado al culto al jaguar; por lo que también son conocidos como "el pueblo del jaguar". Algunos de estos objetos, también elaborados en madera, fueron depositados como ofrenda en las riberas de los ríos, o en la espesura del bosque dentro de sus ciudades.

Nuestro viaje por el mundo mesoamericano nos lleva a ver lo que en ese momento estaban haciendo sus vecinos del sur, los mayas. Un pequeño grupo de individuos está esforzándose por colocar cerca de una gran pirámide una piedra labrada de forma rectangular y de considerables dimensiones; se trata de una estela o lápida labrada, en la cual han inscrito algunos jeroglíficos que anunciarán alguna fecha de especial importancia histórica. La pirámide tiene por los menos 30 metros de altura, y es muy similar a la de sus vecinos de La Venta.

Por su parte, San José Mogote, (localizado en los valles de la actual Oaxaca) juega un papel preponderante en el posterior desarrollo de las sociedades de esta región. La comunidad de poco más de 100 habitantes también dedica su tiempo a la producción de piezas de alfarería y productos de lujo, como espejos de minerales como la magnetita, que pueden utilizarse como pendientes, o labores que generalmente hacen dentro de sus casas. Muy cercano a ellas, construyen un espacio delimitado para llevar a cabo algún tipo de danza ritual. Al lado, tienen pensado construir una pequeña pirámide en la que llevar a cabo diversas ceremonias en honor de sus dioses.

Las relaciones con sus vecinos son buenas, sobre todo con los olmecas. Prueba de ello son algunos objetos que pueden colocar en sus ofrendas, como piezas de lujo elaboradas en piedra verde con el estilo artístico de los habitantes de la región del hule. Todo esto ocurre en una etapa

Monumento 3 de San José Mogote.
Representa un personaje capturado y sacrificado.

conocida como Preclásico Medio, entre los años 1200 a 400 a.C.

En otra parte de Mesoamérica, en la actual región del Occidente mexicano preparan una excelsa ofrenda fúnebre, quizá más grande y ostentosa que la de sus antepasados en el Centro de México, y decimos sus antepasados porque ya ha transcurrido cierto tiempo, corre el año 200 a.C., y el último soplo de vida del periodo Preclásico está en curso. Han abierto un gran túnel en la tierra, que se extiende a más de 5 metros de profundidad, y un grupo de individuos bajan con cautela los restos de una persona adulta del sexo masculino; por detrás les sigue otro individuo que lleva en sus manos el cadáver de un pequeño perro que se caracteriza por no tener pelo, quizá se trate de la mascota del difunto. Otro grupo espera arriba para introducir en la tumba una serie de objetos de cerámica de vivos colores rojos que representan animales, especialmente perros y diversos personajes que recuerdan la vida cotidiana de la aldea.

Para este entonces, los olmecas han perdido su influencia y prácticamente están en decadencia, y en buena parte de Mesoamérica se ha iniciado una fuerte revolución sociocultural. Los habitantes de la zona maya y oaxaca han comenzado a construir grandes y fastuosas ciudades y no solo eso, ha comenzado la competencia local por la hegemonía de sus regiones, los hombres ya no solo cultivan, sino que también se arman. Se han dado cuenta de que aquellos instrumentos como el lanza dardos, que originalmente utilizaban para cazar patos o pescar, pueden ser utilizados para aniquilarse unos a otros, y aquellos a los que no aniquilan son capturados y denigrados, representados en ciudades como Monte Albán en estelas de piedra completamente desnudos y heridos. Durante esta etapa, un grupo de migrantes huye de la explosión de un volcán que ha destruido por completo su ciudad, Cuicuilco, con la idea de incorporarse a la población de una de las más majestuosas ciudades del México Antiguo: Teotihuacan. Por lo menos esta es la referencia más tradicional, sin embargo nuevas investigaciones comienzan a cambiar la idea del origen étnico que conformará la población de la ciudad de Teotihuacan.

LA CIUDAD DONDE NACEN LOS DIOSES

Teotihuacan fue fundada en el altiplano central mexicano, más concretamente al noreste de la región denominada Cuenca de México, durante los últimos años del Preclásico Tardío (200 a.C.); sin embargo, su verdadero desarrollo se dio durante el período siguiente, conocido como Clásico, horizonte que cubre aproximadamente los primeros ocho siglos de la era cristiana. Los habitantes de este momento podían admirar desde lo alto de cerros como el Patlachique los flujos de agua que distribuían el líquido preciado gracias a los afluentes de ríos como el San Juan y los manantiales existentes en la región. El paisaje teotihuacano estaba rodeado de abundantes bosques de pino y encinares que sirvieron de combustible para alimentar las grandes hogueras que proporcionaban el calor suficiente para elaborar los alimentos y la cerámica.

Mientras en Europa comenzaba el Imperio Romano con el reinado de Augusto, la ciudad de Teotihuacan, una de las más grandes y cosmopolitas de la América precolombina, experimentaba un incipiente desarrollo y control de los recursos naturales que estaban a su alcance. Ello se debe a su excelente ubicación, pues estaba estratégicamente construida en zonas cercanas a manantiales; lagos, como el de Texcoco, minas de obsidiana, (un tipo de vidrio volcánico con el cual podían fabricar infinidad de herramientas) y gozaba de una posición geográfica privilegiada en las rutas comerciales entre la costa del Golfo y la cuenca de México. La abundancia de cuevas representaba para los indígenas la puerta para acceder al inframundo, y es precisamente sobre una de estas cuevas, al este de la ciudad, donde los constructores levantaron la gran pirámide del Sol, una de las principales estructuras del recinto ceremonial teotihuacano.

Urbanísticamente, Teotihuacan estaba organizada a partir de un eje que corría de norte a sur, llamada Calzada de los Muertos. Hacia el norte estaba delimitada por la Pirámide de la Luna y su gran Plaza, y al sur por varios conjuntos residenciales y la Ciudadela. Un segundo eje este-oeste ubicado cerca de la Ciudadela configuraba la ciudad en cuatro cuadrantes. A su alrededor estaba integrada por numerosas zonas de habitación.

La mayoría contaban con una red de alcantarillado subterránea que proporcionaba agua potable de los diversos manantiales ubicados alrededor de la ciudad.

Imaginemos por un momento cómo transcurría la vida cotidiana en una casa del común de época teotihuacana... El señor de la familia está llevando a cabo algunas reparaciones de la casa. A las afueras de esta, prepara unos bloques de arcilla (adobes) para reponer algunos que han sido destruidos de las paredes de su hogar como consecuencia de las lluvias. Entre tanto, la mujer extrae de una gran vasija de color anaranjado varios chiles, que pone al fuego junto con un pequeño conejo que su marido ha traído horas antes. Después de cazarlo en los bosques también consiguió algunos vegetales como verdolagas o zapote blanco, que servirán de guarnición a los alimentos de ese día. Del otro lado de la ciudad, en la zona residencial, una de las grandes familias de la elite lleva a cabo una ceremonia familiar colectiva dedicada a los dioses del hogar. Esta ceremonia se da dentro de un gran patio ubicado en el centro de la casa, alrededor de un pequeño altar. Terminada la ceremonia, vuelven a sus tareas cotidianas. Alrededor de este patio se distribuyen las habitaciones. En una de ellas, la mujer prepara los alimentos; sale constantemente a un cuarto contiguo donde, en grandes vasijas de cerámica, tiene almacenadas enormes cantidades de granos de maíz, frijol, calabaza y diversos alimentos de todo tipo, entre los que también se encuentran algunos chiles. Muy cerca de ahí, el padre lleva la comida a sus animales, entre ellos algunos guajolotes y perros. En este caso el hombre no pierde tanto tiempo en hacer reparaciones en su casa, ya que a diferencia de las que se encuentran a las afueras de la ciudad, ha sido elaborada de piedra y estuco (un tipo de mezcla de cal y arena que servía como cementante para recubrir las paredes). Por eso, en lugar de ello colabora en algunas de las labores que están haciendo en uno de los pasillos principales. Se está pintando con colores ocre, rojo, verde, azul y café la imagen de un jaguar, que decora y describe algunos relatos míticos de esta misteriosa ciudad.

Mientras esto pasa, ha llegado a Teotihuacan un cargamento de obsidiana procedente de la Sierra de las Navajas; los talleres ubicados al norte de la ciudad utilizan este material para la elaboración de diversos objetos, entre ellos puntas de lanza, flechas, navajas y cuchillos. Así, también el golpeteo de las piedras resuena cuando un taller cercano a esteestá elaborando una gran escultura en piedra. Llevan ya varias semanas, ya está cincelada más de la mitad de la figura y la roca comienza a tomar la forma de una mujer que lleva puesto un quechquémitl (blusa), una falda y está dispuesta con los brazos levantados hacia el frente, en actitud de plegaria. Una vez terminada la obra, tienen la instrucción de colocarla muy cerca de la Pirámide de la Luna, edificio consagrado a la diosa del agua, Chalchihutlicue.

Otro grupo expedicionario especializado en el comercio ha preparado su equipaje, con un mecapal compuesto por varios paños de fibras de vegetales, dentro de los cuales han colocado algunos alimentos, plantas medicinales, y sobre todo grandes cantidades de vasijas de cerámica y herramientas de obsidiana que llevarán a cuestas en su espalda para comerciar con regiones alejadas, muy al sur de su ciudad. No irán solos, debido a que un pequeño destacamento de guerreros, armados especialmente con lanzas, lanza dardos, guarecidos de corazas de algodón que les protegen el pecho y los brazos, les acompañarán. Serán ellos los representantes políticos en el extranjero. Después de varias semanas de camino y de algunas paradas en otros centros de comercio, finalmente llegan a uno de sus principales destinos, la ciudad de Tikal, en la zona maya. Al llegar, el Halach Huinic o señor principal de Tikal los espera sentado en un templo. Los guerreros teotihuacanos son los primeros en aproximarse para hacer las debidas reverencias y saludos de parte de los señores de Teotihuacan, seguidos por detrás de los comerciantes, quienes ya llevan en sus manos algunos presentes y parte de los objetos motivo del viaje. Algunos de estos objetos son grandes vasos cilíndricos de cerámica color naranja que llevan una ornamentada tapadera. Sus soportes de forma cuadrada han sido decorados con pequeñas incisiones en forma de "A"; según ellos esta decoración representa el símbolo del año.

A su regreso muy probablemente vayan a Monte Albán, otra ciudad ubicada mucho más al noroeste de donde se encuentran, para continuar las relaciones comerciales y políticas con sus vecinos, los zapotecos. Las relaciones que han tenido desde hace cierto tiempo han dado tan buenos frutos que hace ya años que algunos zapotecos se han trasladado hasta Teotihuacan como inmigrantes para fundar un pequeño barrio, llamado Tlailotlacan, donde por lo menos entre 600 y 1.000 zapotecos conviven de forma pacífica con los mismos teotihuacanos.

Los señores de Teotihuacan, después de supervisar la entrada y salida de estos productos comerciales, se dedican a los preparativos de una macabra ceremonia, ya que no solamente son la clase gobernante y administrativa de la urbe, sino también la clase sacerdotal. En algún momento algunos de sus guerreros lograron capturar a un grupo de enemigos que van a ser finalmente sacrificados. El ritual se lleva a cabo en la ciudadela, una estructura cuadrangular que tiene los accesos muy limitados, pues solo gente del gobierno podrá tener acceso, entre ellos los mismos guerreros, quienes quizá también desarrollen, a su vez, las labores sacerdotales. Está casi concluida la construcción del templo de Quetzalcóatl en su interior, y lo único que resta es traer a los cautivos para iniciar el ritual. Son cerca de dieciocho jóvenes, casi todos del sexo masculino, y algunas, extrañamente, son mujeres. Pertenecen a una casta militar extranjera. Los llevan con los brazos atados en la espalda, ataviados entre otras cosas con collares y pendientes, algunos de concha y otros con verdaderos maxilares humanos, con dientes y todo. A la altura de la cintura llevan unos discos de pizarra a manera de pendientes.

Por su parte, los sacerdotes llevaban grandes mantos de algodón decorados con plumas y cuentas de oro, y algo que los caracteriza, sus grandes tocados, que en este caso formaban la cabeza de un cocodrilo de la cual emergían sus rostros impávidos y serios. Después de algunas acciones rituales, dan muerte a cada una de las víctimas extrayéndole el corazón, utilizando un cuchillo de pedernal de forma curva, como si fuera una hoz. Posteriormente, los cuerpos son depositados en unas oquedades excavadas en el piso del interior del templo. El ritual culmina cuando los sacerdotes colocan una cantidad considerable de puntas de flecha elaboradas de obsidiana junto al cuerpo de los recién fallecidos; de esta forma permiten que los constructores concluyan las labores de levantamiento del templo sobre los cadáveres previamente enterrados.

La vida continuó en Teotihuacan de esta manera durante más de siete siglos, desde su fundación hasta el año 750 d.C., y los controles comerciales y políticos de Teotihuacan se vieron desestabilizados por el surgimiento de nuevas ciudades. Esto provocó, entre otras cosas, una revuelta social interna importante, a la que se suma la invasión de grupos extranjeros que incendian el centro ceremonial, incluyendo los templos y palacios. El colapso de la ciudad es inevitable. Estas son algunas de las causas que los especialistas proponen como parte de la destrucción de la ciudad, tan polémico es el surgimiento como la caída de esta importantísima ciudad precolombina.

Con su destrucción comienza un periodo de inestabilidad política, económica y cultural en buena parte de Mesoamérica. Varios centros de menor importancia, que podrían haber estado pisando en algún momento los talones de Teotihuacan, ven en este tambaleo las posibilidades para subir al trono como la próxima potencia comercial y política del altiplano central y gran parte de Mesoamérica. Ello, sin duda, incrementó las hostilidades entre los pueblos, lo que dio pauta para la conformación de cuerpos militares cada vez más profesionales y especializados. Durante 200 años este proceso continuó, y el actual territorio mexicano fue escenario de la aparición y el colapso de grandes ciudades y civilizaciones como Xochicalco, Cacaxtla, Teotenango, entre algunas más. Muchas de ellas se caracterizaron por estar fuertemente fortificadas, lo que sin duda nos habla del desarrollo posterior y poco estudiado de la poliorcética mesoamericana (arte de las estrategias de asedio y conquista). Los habitantes de estas ciudades eran de muy diversas etnias, unidas muchas de las veces en una sola entidad política que buscaba llenar el hueco político y cultural dejado por Teotihuacan. Este proceso de transición es conocido como el período Epiclásico o Clásico Tardío (700-900 d.C.) Años más tarde, se alzará una gran potencia militar en el centro de México, que efímeramente intentará ocupar el lugar hegemónico dejado por Teotihuacan. El surgimiento de esta ciudad dará la pauta para que los investigadores den por iniciado el período Posclásico, entre los años 900 a 1521 d.C.

EL LUGAR DE LOS TULES

Nos encontramos a principios del siglo X después de nuestra era, en el centro de la entonces Mesoamérica. El señor Serpiente Nube, mejor conocido como Mixcóatl, llega con un reducido ejército compuesto por indígenas de mediana estatura ataviados con pieles de animales y armados especialmente con arcos y flechas para someter a todo aquel que se interponga. Cuentan los que lo conocen que su viaje ha sido largo, pues ha salido desde el norte: "Cuando los chichimecas irrumpieron, los guiaba Mixcóatl. Los cuatrocientos mixcoas vinieron a salir por las nueve colinas, por las nueve llanuras..." *(Anales de Cuauhtitlan),* quizá debido, entre otras cosas, a un cambio climático que les ha obligado a establecerse en regiones mucho más prósperas. Antes de llegar al centro mesoamericano dedicaban su tiempo a la caza y recolección para su subsistencia, es por ello que nadie puede detenerlos, son expertos en el uso del arco y la flecha, armas nunca antes vistas por la región, pues recordemos que el arma por excelencia era el lanza dardos. Después de varias batallas, Mixcóatl logra someter a varios de los pueblos locales, entre ellos algunos de filiación otomiana, con quienes se mezclan.

El señor Serpiente Nube continúa su expansión hasta llegar a una región cercana a Tepoztlán (estado de Morelos). Ahí se enamora de una joven hermosa llamada Chimalma, con quien tiene un hijo, Ce Ácatl Topiltzin Quetzalcóatl. Para desgracia del pequeño Topiltzin, su padre es asesinado antes de su nacimiento, y Chimalma, su madre, muere durante el parto, y es cuando por algún tiempo esconden al joven Topiltzin de ojos de un usurpador llamado Ihuitímal.

A la muerte del usurpador, Topiltzin es restablecido en su trono para ser el máximo sacerdote y gobernante. Continúa con la herencia de su padre sometiendo otros territorios, entre ellos la antigua ciudad de Xochicalco, lugar donde posteriormente se hace simplemente llamar Quetzalcóatl (La Serpiente Emplumada). Manda trasladar los restos de su padre a lo alto del cerro del Huxaxtépetl para que se le rindan honores. Ce Ácatl Topiltzin, ahora convertido en Quetzalcóatl, desea llevar a cabo la expansión de su territorio, pero antes debe establecer un reino desde donde gobernar. La empresa no parece fácil, ya que del otro lado se encuentran los olmeca-xicalanca, quienes gobiernan desde el señorío de Cholula y no dejarán que estas conquistas se lleven a cabo tan fácilmente. Por esta razón, Quetzalcóatl se dirige con su ejército hacia Tulancingo (actual estado de Hidalgo), y posteriormente a Tula Xicocotitlan, para fundar una grandiosa ciudad que impulsará las artes, la filosofía, la política y el desarrollo urbanístico y de la civilización más refinado, aspecto conocido como la Toltecáyotl. Cuentan algunas fuentes que los toltecas eran sabios. El conjunto de sus artes, su sabiduría, procedía de Quetzalcóatl. Los toltecas eran muy ricos, muy felices, nunca tenían pobreza ni tristeza. Eran experimentados. Tenían por costumbre dialogar con su propio corazón. *(Códice Matritense de la Real Academia).*

Por todo lo anterior, Tula sería la materialización de una ciudad mítica y divina llamada Tollan, y Quetzalcóatl sería su máximo representante. Sus habitantes estarían conformados por tres filiaciones étnicas distintas, los otomíes, oriundos de la región; los tolteca-chichimeca, guiados por Mixcóatl, y los nonoalcas-chichimeca procedentes de la Costa del Golfo, quienes participaban en las labores de construcción de la ciudad.

Durante el reinado de Quetzalcóatl, quien además se había consagrado como un gran sacerdote, sabio y buen gobernante, se logró el desarrollo de esta próspera ciudad, y se implantaron ciertos dogmas religiosos que, aseguran las fuentes, estaban en contra del sacrifico humano; por ello tenía muchos seguidores pero también detractores, entre ellos un grupo de seguidores del culto a Tezcatlipoca. Los hechiceros de Tezcatlipoca, utilizando ciertas artimañas logran que Quetzalcóatl se emborrache durante una fiesta, cayendo en una serie de escándalos frente a sus seguidores.

Las colosales esculturas de Quetzalcóatl ataviado como guerrero sirven como columnas del templo principal en la antigua ciudad de Tula.

Producto de estas situaciones embarazosas, Quezalcóatl es obligado a salir de la ciudad de Tula: "¡Ya no es el gran sacerdote, puro y sabio, es necesario que sea excluido de todas sus investiduras de gobernante!", dicen algunos. Sus seguidores lo acompañan, y antes de salir promete que regresará para ocupar nuevamente su trono. Los que vieron este suceso dicen que tomó rumbo hacia el lugar del Rojo y el Negro (Tlillan-Tlallpan). Otros, que llegó a las costas del Golfo de México y desapareció en una balsa hecha de serpientes.

Después de él, sube al trono Huémac, quien gobernó durante muchos años. Cuenta un mito indígena que en alguna ocasión los dioses de la lluvia lo retaron a jugar el juego de pelota. Las apuestas para ambos lados serían una serie de plumas y jades. Después de terminada la competición, Huémac se alza como vencedor, y al reclamar su paga, los dioses de la lluvia, en lugar de entregarle plumas y jades, pretenden darle unas mazorcas de maíz. Huémac, enfurecido, reclama su verdadero trofeo, junto con el que recibió cuatro años de sequía para Tula. Finalmente a Huémac le toca vivir el desmoronamiento de la ciudad, allá por los años 1050 a 1250 d.C. aproximadamente. El último gobernante tolteca muere en la cueva de Cincalco, en Chapultepec. Eso es lo que dicen las fuentes escritas y la historia, pero es bastante contradictorio con lo que la arqueología puede informar sobre la ciudad de Tula.

En 1940, el arqueólogo Jorge Acosta desentierra los restos de una ciudad de pequeñas dimensiones que nada tiene que ver con la Tula de Topiltzin. No solo por sus dimensiones, sino por la pobreza de sus manifestaciones plásticas, que comparadas con lo que antes había desarrollado Teotihuacan muestran que las fuentes escritas y las evidencias arqueológicas se contradicen. Esta ciudad es actualmente conocida como el sitio arqueológico de Tula, en el actual estado de Hidalgo. "El lugar de los tules" fue edificado entre los cerros de La Malinche, el Cielito y Magone, con una extensión aproximada de dieciséis kilómetros cuadrados. Después de un proceso de desarrollo cultural y polémicos asentamientos en el área, producto de las diversas oleadas de migraciones provenientes del norte mesoamericano, finalmente Tula se convierte entre los años 950 y 1150 d.C. en una próspera ciudad con una población cercana a los 60.000 habitantes que, sin embargo, comparada con Teotihuacan, que albergaba a cerca de 200.000, podemos decir que realmente Tula era una ciudad pequeña.

La Tula arqueológica que más se conoce es la llamada Tula Grande, conformada por edificios de mediano formato. Una gran plaza rectangular era el eje rector del plano urbanístico de la ciudad. Contaba con dos juegos de pelota y varios edificios administrativos y religiosos. De ellos el Edifico B, localizado al norte de la ciudad, era probablemente el más importante. Junto a este se encuentra el Palacio Quemado, un conjunto de tres grandes salas hipóstilas decoradas con una serie de banquetas con los relieves de varios guerreros armados en procesión. Dentro de este edificio los arqueólogos encontraron una ofrenda que contenía, entre otras cosas, un peto ritual elaborado con conchas marinas. Cercano al Palacio Quemado se encuentra uno de los juegos de pelota ya mencionado, el designado como número dos, y cercano a este se encontraron los restos del tzompantli, una estructura de madera en la que se colocaban los cráneos de los sacrificados. Los edificios K y C cierran finalmente la gran plaza, espacio ritual y administrativo de la bélica ciudad de Tula. A las afueras de la gran plaza existe un pequeño templo de planta circular muchas veces poco conocido por los visitantes del sitio arqueológico, este templo estaba dedicado al dios Ehécatl Quetzalcóatl, y es conocido popularmente como El Corral, por la forma circular que presenta.

Debemos decir que la mayoría de los dioses, a diferencia de lo que se veía en Teotihuacan, están marcadamente representados con tintes altamente militaristas. Ya no son solo los dioses benefactores, portadores de la fertilidad de la tierra en la que aparecen vertiendo semillas de fecundidad como se ve en algunos murales en Teotihuacan; ahora, gracias a los fenómenos culturales y políticos gestados desde el Epiclásico, hasta los dioses, algunos de ellos como Tláloc y Quetzalcóatl, aparecen representados con trajes de guerreros y fuertemente armados, ¡se ha iniciado la época más militarista de Mesoamérica!

Ahora trasladémonos en el tiempo y veamos una escena cotidiana en la vida política y religiosa de la antigua Tula, considerando especialmente los datos arqueológicos. Se ha construido una gran estructura de madera al este de la gran plaza. En el centro, cerca de un pequeño altar, un sacerdote preside los actos religiosos de un terrible ceremonial que está a punto de llevarse a cabo. Viste una gran manta elaborada de plumas verdes de quetzal, su rostro, pintado de negro, está enmarcado por las siluetas que rodean sus ojos y su boca simulando la máscara del dios de la lluvia, Tláloc. Un grupo de varios guerreros toltecas muy cercano a la estructura de madera tiene prisioneros a varias decenas de cautivos. Los guerreros llevan vistosos tocados de plumas, un pectoral de madera en forma de mariposa protege sus pechos y cada uno lleva en sus manos un lanza dardos cargado con una saeta, preparado por si alguno de los prisioneros intenta salir huyendo. No lejos de ahí se encuentra un sacerdote, dotado de un cuchillo de sacrificio con el cual dará muerte a los prisioneros.

A lo lejos resuenan los tambores y las flautas, desde lo alto del templo dedicado a Tlahuizcalpantecuhtli (El Señor de la Casa del Amanecer) en donde otros sacerdotes observan la escena junto con el gobernante Quetzalcóatl. El edificio está decorado por una procesión de coyotes y zopilotes que devoran los corazones de sacrificados, y en la parte superior, por detrás de Quetzalcóatl, un conjunto de monumentales pilares de piedra sostiene el techo bajo la imagen de su gobernante ataviado como guerrero.

Entre tanto, por detrás de este templo se está llevando a cabo un juego de pelota ritual, un grupo de varios jugadores intenta introducir una pelota de caucho de cerca de 5 kilogramos de peso por una pequeña argolla de piedra. El juego dura varias horas, hasta que finalmente hay un grupo ganador.

De vuelta a la gran plaza, ya por la noche, la ceremonia ha concluido, prácticamente ya no hay nadie en ella, solo se aprecia un escenario un tanto espeluznante. La gran estructura de madera escurre en sangre, y los cráneos de las decenas de prisioneros yacen clavados en las espigas de madera como un trofeo para los dioses y para el mismo Quetzalcóatl. Esta imaginaria escena sería poco esperada en la Tula de las fuentes escritas, pero bastante acorde con la Tula arqueológica que irradia en su iconografía escenas de sacrificio y guerra. Esta es, sin duda, una de las polémicas más interesantes que aún prevalecen alrededor de Tula.

A las afueras de la ciudad, la gente del común está preparando su propia ceremonia, en este caso en honor al dios Tláloc. Han elaborado desde hace varios meses una gran cantidad de vasijas en miniatura con la forma de su dios. Los temporales no han sido del todo buenos y es necesario realizar unas súplicas para la llegada de las lluvias. Por ello ascienden a uno de los cerros más cercanos, llevan consigo alimentos y, sobre todo, la fuerte dotación de vasijas en miniatura, las cuales después de algunas plegarias serán enterradas en lo alto del cerro. Ellos saben que Tláloc utiliza vasijas muy parecidas, de dimensiones colosales, para hacer llover, pues las llena del líquido preciado y comienza a golpearlas con un bastón en forma de serpiente. Al escurrirse, el agua descenderá en forma de lluvia, pero esperan que a Tláloc no se le pase la mano y las rompa, pues en tal caso verán venir de los cielos veloces rayos que se estrellarán sobre sus tierras.

Y no solo eso, según sus creencias, también consideran que Tláloc y Chalchihuitlicue han depositado el agua dentro de los cerros, solo es necesario que se resquebrajen un poco para que broten de lo alto y bañen sus cultivos. Esta era una de las formas de explicar parte del paisaje que les rodeaba y más del origen de los ríos.

Los especialistas no se han puesto totalmente de acuerdo sobre hasta dónde y de qué forma se dio la efímera expansión tolteca por tierras mesoamericanas. Una de las que más controversia ha causado es la presumible influencia tolteca en las lejanas tierras mayas, en donde destaca como principal ejemplo la ciudad de Chichén Itzá. Uno de los rasgos más característicos de esta es el enorme parecido de sus ornamentos y elementos arquitectónicos con la ciudad de Tula. Representaciones de jaguares y aves devorando corazones, grandes columnas en forma de serpiente, esculturas en forma de un personaje semi recostado que sujeta en sus manos un recipiente para depositar la ofrenda de los sacrificados y que es tradicionalmente conocido como chac-mool, son actualmente uno de los misterios más interesantes que existen en torno a la historia mesoamericana.

Algunos autores como Leonardo López Luján y Alfredo López Austin argumentan que Tula y Chichén Itzá son dos ciudades que posiblemente estuvieron muy relacionadas con un grupo de pueblos del noroccidente mesoamericano cuyos antepasados procedían de un mítico lugar llamado Zuyuá, vínculo ideológico por excelencia de estos pueblos. En palabras de los autores "...estos hombres impusieron un orden político militarista, por medio del cual unas cuantas capitales pretendían englobar a todos los pueblos indígenas circundantes. [...] Tanto en el norte como en el sur, los gobernantes de las nuevas entidades se mostraban como representantes de un personaje llamado Serpiente Emplumada, e incluso algunos llevaron su nombre" *(El Pasado Indígena)*.

Sea como fuere, al igual que su predecesora Teotihuacan, la ciudad de Tula y sus habitantes sufrieron un repentino y enigmático colapso. El año 1156 d.C. es la fecha que marca la destrucción total de Tula. Hay quien dice que pudo deberse a cambios drásticos en el clima septentrional de Mesoamérica y a invasiones provenientes de la zona lacustre de Altiplano Central. En la actualidad, la caída de este efímero imperio está en proceso de investigación, incluyendo sus misteriosas relaciones con ciudades como la antigua Chichén Itzá.

Con la caída de Tula se inicia una nueva etapa en la historia mesoamericana, pues a partir

Templo de los Guerreros en Chichén Itzá. En su entrada dos columnas en forma de serpientes reciben al visitante.

del siglo XII comienza una nueva oleada de migraciones del norte que llegan al centro de México. Estos pueblos, los chichimecas, vieron en los alrededores de la cuenca de México una zona basta en recursos naturales para ser explotados. Uno de los principales caudillos de esta expansión fue Xólotl y también sus descendientes, quienes recorrieron amplísimos territorios fundando ciudades como Tenayuca, Coatlinchan y Texcoco. Muchos de estos grupos sentarían las bases de lo que posteriormente serían algunos de los pueblos protagonistas, que se desarrollarían, años después por la que sería la tierra de los aztecas.

Un pequeño salto en el tiempo...

Mediados del siglo XV d.C. Un grupo de expedicionarios ha salido desde la Ciudad de México para ir a explorar una ciudad muy antigua que saben que lleva ya muchos años abandonada y que se encuentra a unos cuantos kilómetros al norte de México. Al llegar a la ciudad comienzan a cruzar una gran avenida, que está enmarcada en sus costados por muchas construcciones derruidas, construcciones misteriosas que les despiertan cierto temor; algunos de nuestros exploradores piensan que podría tratarse de tumbas, pese a ello deben seguir su expedición y conseguir el valioso botín. Finalmente saben perfectamente dónde localizar lo que están buscando, una gran ofrenda funeraria que seguramente contendrá objetos de lujo que llevarán posteriormente a la Ciudad de México. Después de un arduo trabajo, pues sus herramientas no son las más sofisticadas, logran extraer del pie de las escaleras de una gran pirámide una vasija anaranjada que lleva una serie de inscripciones y figuras de algunos dioses que les parecen bastante conocidas. No era la primera vez, pues ya antes habían localizado objetos parecidos, lo que no deja de asombrarles. Envuelven la pieza en algunos paños de algodón, de pronto alguien exclama en una lengua un tanto extraña: "¡Ten cuidado, no la vayas a tirar, que es mágica!", y finalmente, ya envuelta, se la llevan hasta su metrópoli.

Es tal el misterio que les produce esta extraña ciudad que han creado una leyenda que dice así:

Una reunión de urgencia ha convocado a los más altos representantes del universo, los dioses. Están en un fuerte dilema, es necesaria la creación del sol, un elemento indispensable para la formación de la vida en el universo y sobre todo para el nacimiento del hombre. Se ha prendido una gran hoguera en el centro del salón de reunión y se explica a los convocantes que aquel que se arroje a la hoguera tendrá el privilegio de, a su muerte, renacer como el astro rey que iluminará el universo. Todos los dioses se miran entre ellos para ver quién será el valiente, de pronto se levanta uno y corre apresuradamente hacia la hoguera. Se llama Tecuciztécatl, "Señor de los caracoles", y cuando está a punto de arrojarse se detiene y lo piensa dos veces. De pronto se produce una fuerte explosión en la hoguera, un segundo dios se ha arrojado y los que dicen haberlo visto afirman que se trataba de Nanahuatzin, "El purulento o bullicioso". En cuestión de segundos, el salón se llena de luz y calor, el sol ha nacido.Existe un quinto sol último de una serie de cuatro que alumbrará la existencia humana, ya no hay nada que hacer, la labor ha sido consumada. Sin embargo, Tecuciztécatl, lleno de rabia por su falta de decisión, se arroja también, resultando de ello la creación de un segundo sol, tan radiante y calorífico como el anterior. Nuevamente la reunión se encuentra en aprietos, ahora ya no tienen uno sino dos soles, el segundo sol no puede ser tan brillante como el primero. Por lo tanto los demás dioses deciden arrojar un conejo para que opaque al sol creado por Tecuciztécatl; de esta forma nace la Luna.

Por esta razón nuestros expedicionarios han llamado a esta ciudad como Teotihuacan, "la ciudad donde nacen los dioses". No es la única ciudad donde han intervenido en excavaciones para extraer objetos cerámicos, o esculturas. De Tula, que aún está poblada en su alrededores, han extraído una escultura en piedra de un personaje semi recostado que sostiene en sus manos una vasija para depositar algunas ofrendas, que al igual que lo extraído en Teotihuacan, será llevado a su metrópoli. Los exploradores dicen ser descendientes de los antiguos habitantes de esa ciudad, y por eso van constantemente a extraer objetos de ella. Para ellos, estas piezas tienen una carga simbólica muy importante, pues representan su legado histórico y la forma de legitimarse como un pueblo prestigioso a los ojos de sus vecinos. Ellos son muy conocidos en los alrededores, les dicen mexicanos, tenochcas, o simplemente mexicas, y su ciudad es conocida como México-Tenochtitlan. En este momento son los amos y señores de casi toda Mesoamérica, prácticamente todos les rinden tributo. Sus ejércitos resuenan en todos los rincones del altiplano mexicano, y están en vías de acercarse a las costas del Golfo y del Pacífico; están creando uno de los imperios más poderosos del entonces mundo precolombino. Pero no siempre fue así, hubo una época entre el mito y la historia en que estos mexicanos estuvieron asociados a un misterioso pueblo del cual ya no tenemos muchas noticias; marcan las fuentes que eran llamados aztecas. Para muchos, los aztecas, tenochcas, mexicas, mexicanos y tlatelolcas son lo mismo, para otros hay una sobrada diferencia; sin embargo esta es otra historia que comienza de esta manera...

LOS ORÍGENES:
MITO Y REALIDAD

2

¿AZTECAS O MEXICAS?

Los aztecas son el pueblo más representativo de la historia precolombina mexicana. Las razones son muy variadas, pero podemos argumentar que una de las principales es que de ellos tenemos mucha información disponible para su estudio: fuentes escritas, códices y vestigios arqueológicos. Hay quien, erróneamente, piensa que desarrollaron la última y más bella expresión del arte y la cultura mesoamericana, estando por encima de las expresiones teotihuacanas, toltecas, zapotecas o de otros grupos que les precedieron. Nada más lejos de la realidad, realmente los aztecas utilizan una serie de rasgos pictóricos compartidos por varios pueblos tanto contemporáneos como de su pasado, y crean posteriormente una cultura muy particular y específica, conocida simplemente bajo el término de azteca. Por otro lado, también fueron el pueblo que se enfrentó a los conquistadores europeos y que en ese momento tenía el protagonismo político de toda Mesoamérica. Desde un principio, el pueblo azteca tuvo, por razones religiosas y estratégicas, un gobierno centralista, concepto que posteriormente heredaron los gobiernos de la época colonial e independiente y que aún hoy se mantiene en el México actual; es decir, los aztecas son contemplados actualmente desde una perspectiva centralista como el principal modelo de la historia antigua mexicana. Reflejo de ello es el símbolo nacional en la bandera mexicana, el águila posada sobre un nopal devorando una serpiente, que representa el mito, la historia, la leyenda del pueblo fundador del centro del universo, el ombligo del mundo, la fundación de la ciudad más poderosa que durante el Posclásico tardío existió en Mesoamérica, México-Tenochtitlan.

La historia del pueblo azteca puede ser dividida en dos grandes periodos: el azteca temprano, que abarca del 1111 d.C., que fija el año de la salida de los mexicas de Aztlan, la fundación de su ciudad México-Tenochtitlan en 1325, hasta el año 1428. Un segundo periodo es llamado etapa imperial o periodo azteca tardío, que comienza en 1428 y se caracteriza por la conformación de la Triple Alianza, la expansión de los mexicas con Moctezuma Ilhuicamina hasta la caída de Tenochtitlan, en 1521.

La primera parte de esta historia está plagada de una serie de mitos y leyendas que se funden con los relatos históricos reales. La mayor parte de esta información es producto de la narración que tenemos de los cronistas europeos, y una muy pequeña parte está reflejada en los restos arqueológicos. ¿Será acaso que durante el reinado de Izcóatl, entrada la etapa imperial, dicho gobernante decide deshacerse de la supuesta historia de un pueblo errante que no tenía un lugar para establecerse y que estaba supeditado como mercenarios de otros pueblos de la cuenca de México? Este aspecto, según algunos autores, manchaba la política expansionista del incipiente imperio azteca, y por ello mucha de esta información fue borrada de sus anales.

Pero ¿cómo debemos llamar a este pueblo? ¿Aztecas, mexicas, tenochas, tlatelolcas o nahuas? Realmente son un poco de todo, como veremos a lo largo de este recorrido, su historia. Son aztecas por su estrecha relación con un pueblo del que ya no tenemos más noticia y al cual se encontraban sometidos; también son aztecas por proceder de la tierra de Aztlan, el "lugar de la blancura". Sin embargo, deben ser llamados mexicas ya que son el pueblo protegido del dios Huitzilopochtli, conocido también como Mexi. A lo largo de su peregrinaje, los aztecas, quienes realmente por las razones antes comentadas se autonombraban mexicas, se dividieron en dos pequeños grupos: los mexica-tenochcas y los mexica-tlatelolcas quienes a su vez fundarían respectivamente México-Tenochtitlan y México-

El año de 1111 d.C. es la fecha marcada como la salida de los mexicas de Aztlán representado por un personaje en canoa que se acerca al cerro de Culhuacan donde será recibido por Huitzilopochtli. Tira de la Peregrinación.

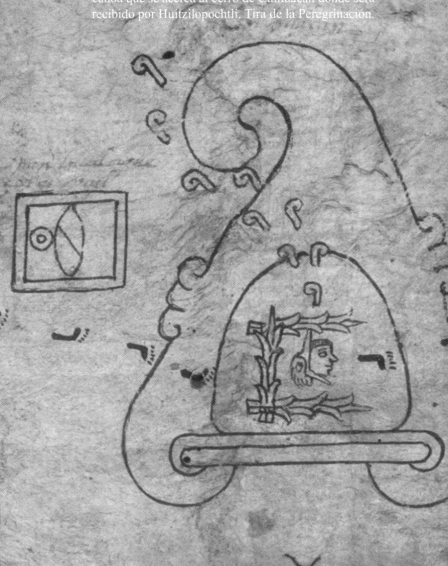

Tlatelolco. Finalmente, los mexicas formaron parte de un grupo muy extenso de culturas, la mayoría habitantes de la cuenca de México, quienes tenían por lengua el náhuatl, de ahí que a todos los hablantes de este idioma se les denomine genéricamente nahuas. La siguiente historia, estimado lector, estará sobre todo plagada de narraciones históricas conocidas a través de lo que las fuentes históricas y los códices nos pueden proporcionar, pero no solo eso, debemos recordar que la cultura mexica, como ya he explicado, también cuenta con abundante información arqueológica que será en muchos de los casos presentada como un interesante y pocas veces tratado complemento a nuestra narración, de forma que usted, lector, obtendrá una visión histórico-arqueológica de un pasado remoto que en muchos casos está fundido entre las narraciones históricas y sorprendentemente clarificado por los hallazgos arqueológicos, y en otros casos contradictoriamente explicado por ambas disciplinas.

Jeffrey Parsons comentaba alguna vez: "Generalmente, los arqueólogos, los etnohistoriadores, ignoran los datos de la otra especialidad o los utilizan de forma parcial como datos suplementarios y secundarios. El gran desafío para la arqueología mexica es cómo *traducir* las fuentes, cómo utilizarlas en las investigaciones, cómo aprovechar su valor y cómo vincularlas a la arqueología". Así, también el eminente especialista en el mundo mexica, Michael Smith, una vez comentó: "Más que utilizar la evidencia etnohistórica para explicar la arqueología o vice-versa, debemos utilizar ambos para explicar el proceso socioeconómico" —y yo agregaría el desarrollo cultural de esta magnífica y representativa cultura del mundo mesoamericano—. Por ello, en el siguiente libro, usted, lector, encontrará una breve historia y un recorrido por la arqueología del mundo mexica, que comienza de esta forma...

EL MANDATO DIVINO:
LA SALIDA DE AZTLAN

Se dice de varios pueblos nahuas que se establecen en una zona descrita en las fuentes como "el lugar de la blancura", sitio paradisíaco ubicado en una isla rodeada de cañaverales, con garzas revolando sus cielos. Este sitio, llamado Aztlan, aun en la actualidad se encuentra con graves problemas de interpretación, sobre todo en cuanto al intento de ubicarlo como un lugar histórico o mítico. Los partidarios de una versión histórica lo ubican geográficamente en el noroeste de la República Mexicana o hacia el occidente de esta; aquellos que apuestan por la versión mítica ven en Aztlan una visión retrospectiva de la verdadera México-Tenochtitlan.

Realmente, los "aztecas" y próximamente mexicas, como hemos de denominarles en consecuencia, fueron el último de siete pueblos de habla náhuatl que salieron de Aztlan, lugar que es también confundido con otros dos Chicomoztoc, el "lugar de las siete cuevas" y Culhuacan, "el lugar de los antepasados". Cada uno de estos pueblos tenía un dios patrono, que son identificados en las fuentes escritas como: "los abuelos", "los creadores de hombres", "las primeras semillas humanas", de cuyas denominaciones derivan los nombres de los pueblos protegidos. Los dioses patronos son el resultado del parto de la diosa Citlalicue, la cual dio a luz un gran navajón de obsidiana que al ser arrojado a Chicomostoc se partió en 1600 pedazos, que se transformaron en 1600 dioses, cada uno de los cuales se encargó de un pueblo en particular. Para poder estar en contacto con sus "hijos", los dioses patronos regalaron a cada pueblo, a través de sus sacerdotes en la tierra, una reliquia que representaría una parte importante de este dios y que a su vez designaría el oficio al cual se dedicaría cada uno de estos pueblos. Huitzilopochtli entregó a los mexicas su ropaje en un envoltorio para que durante su peregrinaje estuvieran en contacto con él.

Sus dominadores los tenían bastante afligidos, por ello su dios patrono, Huitlilopochtli, habló y dijo: "Así es, ya he ido a ver el lugar bueno, conveniente.... Se extiende allí un muy grande espejo de agua. Allí se produce lo que vosotros necesitáis, nada se echa a perder. No quiero que aquí os hagan padecer. Así, os haré regalo de esa tierra. Allí os haré famosos en verdad entre todas las gentes." (Cristóbal del Castillo. *Historia de la venida de los mexicanos y otros pueblos*). De pronto, el canto de un ave en los cielos les advirtió de su partida; era el momento de salir de Aztlan, la fecha marcada, el año 1111 d.C., en el calendario mesoamericano el año 1 pedernal, fecha de consagración del dios que los iba a guiar.

El largo peregrinar de los mexicas había comenzado bajo la guía del caudillo Huiztitzilin, transcurriendo varios años antes de poder asentarse definitivamente en su tierra prometida; entre tanto tendrían que pasar por muchas vicisitudes. Para ello debían contar con las herramientas suficientes para sobrevivir en tan larga travesía. Sus orígenes los describen como un pueblo primitivo de tipo chichimeca, pero ¿quiénes eran estos chichimecas? Por lo menos se tiene noticia de que se trata de grupos nómadas venidos del norte que vestían con pieles de animales y basaban su subsistencia en la recolección y la caza, utilizando el arco y la flecha como su principal arma. Se sabe hoy que los mexicas, aun desde su salida de Aztlan, ya contaban con una cultura propiamente mesoamericana.

Desde Aztlan, los entonces aztecas basaban su subsistencia en la caza, la pesca y la recolección, sobre todo de especies lacustres como renacuajos, peces, sapos e incluso insectos. Pero iniciada su peregrinación su base de alimentación fue la caza de animales silvestres como conejos, liebres, venados, así como la recolección de plantas como el berro. Sin embargo, una característica interesante era su capacidad de cultivar, aspecto que los chichimecas propiamente desconocían, por eso durante su viaje, cuando encontraban regiones fértiles, se asentaban temporalmente y cultivaban todo tipo de plantas comestibles como jitomates, chiles, calabaza, y maíz, entre otros productos. Otros rasgos culturales propiamente mesoamericanos eran el cómputo de su calendario en 52 años, la construcción de templos para su dios o la celebración del juego de pelota, entre muchos otros factores que autores como Carlos Martínez Marín aseguran que pertenecían a una cultura propia mesoamericana y no chichimeca.

Nuestros personajes iban vestidos muy sencillamente, con unos bragueros elaborados de fibra de maguey. Estaban organizados socialmente bajo las órdenes de un sacerdote, los teomamas, portadores del bulto sagrado. Pero según narra el relato, uno de estos sacerdotes fue confundido directamente con Huitzilopochtli transformado en un hombre-dios. Era común en las sociedades mesoamericanas como en muchas otras del mundo, divinizar a personajes importantes; esto mismo sucede con Huitzilopochtli, quien se cree que originalmente fue un sacerdote que en algún momento, después de su muerte, fue divinizado. El dios portentoso entra en su cuerpo para poder guiar a su pueblo desde la tierra.

La vida de los mexicas en ese entonces transcurría de esta manera. Los hombres se dedicaban a la caza y la recolección, mientras que las mujeres hacían labores complementarias, pero curiosamente se menciona a una mujer como una de las portadoras del bulto sagrado en parte de la travesía.

Las narraciones afirman que desde Aztlan uno de los primeros lugares a los que llegan es

Culhuacan, sitio que muchas veces es utilizado como sinónimo de Aztlan. Sea como sea, desde ahí es desde donde Huitzilopochtli les confirma que desde ese momento ya no serán más aztecas, lo que les recuerda su precaria situación con sus opresores en la isla de Aztlan. Ahora serán denominados mexicas. "'Ahora ya no os llamaréis aztecas. Vosotros sois ya mexicas'. Luego, cuando tomaron el nombre de mexicas, les embadurnó de color rojo las orejas y les dio flechas y arcos." En otra narración mítica se dice que en un momento mítico ocho personajes, llamados los mimioxca, cayeron del cielo sobre unas bisnagas, tipo de planta desértica que se encuentra en el norte de México, y allí fueron sacrificados por los mexicas bajo mandato de Huitzilopochtli. Este hecho mítico está recientemente conectado con una gran escultura en piedra de una biznaga encontrada en las nuevas exploraciones en la Ciudad de México. Para López Luján, coordinador de esta temporada de exploración, la biznaga en piedra representa el símbolo de esta etapa de la migración mexica en zonas áridas al norte de México y tiene una carga simbólica muy importante relativa a esta misteriosa etapa histórica.

La migración continuó durante más de dos siglos, y muchos de los lugares por los que pasaron coinciden con los de los otros seis pueblos que se les adelantaron. Entre estos grupos se encontraban los chalcas, tepanecas, acolhuas, xochimilcas, huexotzincas, tlatepozcas y tlahuicas.

Tula fue otro de los lugares por donde pasaron, y continuando su travesía les acontecieron una serie de sucesos que sin duda se encuentran entre el mito y la historia. En algún momento los mexicas se detuvieron a descansar en un gran árbol, que de pronto se despedazó mientras ellos dormían. Tras ello, se dice que Huitzilopochtli ordenó la división del clan mexica en dos partes. Solo debían quedar aquellos que serían los elegidos, los únicos seguidores de Huitzilopochtli. El elemento de discordia fueron nuevamente las reliquias, por un lado unas esmeraldas y por otro unos palos. Un grupo se fue evidentemente a por las esmeraldas, las cuales representarían al jaguar, y otro grupo a por los palos, que se referirían al águila, símbolo indiscutible de Huitzilopochtli. Aquellos que optaron por las esmeraldas años después fundarían México-Tlateloclo, y serían llamados mexica-tlatelolcas, y los verdaderos seguidores de Hutzilopochtli, aquellos que tenían por reliquia los palos, fundarían México-Tenochtitlan y serían simplemente conocidos como los mexica-tenochcas.

La travesía de los mexicas pasó por una infinidad de lugares, entre los que se cuentan Tlemaco, Atotonilco, Apazco, Tequixquiac, y muchos más, en los que los comarcanos constantemente eran hostiles a la llegada de los extranjeros y los mexicas eran mal vistos.

No siendo suficiente los problemas a los que se enfrentaron los mexicas con los nativos de cada lugar al que llegaban, las discordias internas también eran materia constante, sobre todo por aquellos sacerdotes partidarios de otra secta dirigida por el dios, Tezcatlipoca, representante de la noche y el jaguar. Uno de estos problemas se presentó en Malinalco, rumbo a Toluca, el actual estado de México. La hechicera Malinalxóchitl, representante de la diosa luna, encontraba siempre la oportunidad para que los mexicas no pudieran continuar su travesía, motivo por el cual Huiztilopochtli, enfurecido, dijo a sus seguidores que debían abandonar a la hechicera en Malinalco. Y siguiendo las órdenes de su dios, los mexicas, en medio de la noche y sin que ella lo supiera, partieron hacia su tierra prometida.

Ya estamos en el año 1165 d.C. y los mexicas han iniciado un fastuoso ritual para celebrar un siglo dentro del cual han transcurrido 52 años. El siglo mesoamericano hace patente la necesidad de celebrar el primer fuego nuevo. Y el sitio ideal es Coatépec, el cerro de la serpiente. Parece un sitio ideal para poder asentarse definitivamente y fundar míticamente su ciudad. Las contradicciones en las fuentes respecto a los sitios por donde pasaron los mexicas son variadas, y una de ellas hace referencia al nacimiento o, podríamos decir, el renacimiento de Huitzilopochtli, que tiene un trasfondo simbólico muy importante, representado a través de un mito que dice así:

> A lo lejos, en lo más alto del cerro de Coatépec, se observa a una mujer de una edad ciertamente avanzada. Lleva los pechos descubiertos y solamente está ataviada con una falda elaborada completamente de serpientes, vestimenta que le da su nombre: Coatlicue (la de la falda de serpientes). La mujer, o mejor dicho, la diosa, está muy atare-

ada barriendo la entrada de su hogar. En un momento observa cómo del cielo cae un botón de algodón, que logra sujetar y ajusta al cinturón de su falda, que también está hecho con dos grandes serpientes de cascabel enroscadas.

En lo más profundo de la noche, una de sus hijas, la diosa luna, Coyolxauqui, se ha dado cuenta de que ha sucedido un evento milagroso. Nuevamente, su madre se ha embarazado por obra y designio del universo gracias al plumón de algodón que ha sujetado en su falda. Coyolxauqui sabe que solo ella debe ser quien reine en los cielos junto con sus otros hermanos, los 400 urianos, mejor conocidos como estrellas. Los ha convocado, pues deben, juntos, impedir el nacimiento de su hermano, el sol; es decir, Huitzilopochtli. De esta manera, la diosa luna y las estrellas corren apresuradas para matar a su madre antes de que dé a luz al sol. Suben por el cerro de Coatépec, van armados con bastones a los que, como filo, han incrustado grandes navajones de obsidiana. Entre tanto, Coatlicue, simplemente atónita, se ha dado cuenta de lo sucedido. Coyolxauqui, a la cabeza, está a punto de dar el golpe mortal a su madre, cuando del vientre materno surge el señor Colibrí zurdo. Es Huitzilopochtli, esta vez ataviado como guerrero. Lleva un escudo circular decorado con plumas de algodón, y como arma ofensiva, una gran espada en forma de serpiente. Es la Xiuhcóatl, la serpiente de fuego que circunda los cielos. Con dicha arma, de un solo golpe, decapita a su hermana, Coyolxauqui, y de un empujón la arroja por el cerro de Coatépec. La arroja con tal furia que al ir cayendo la diosa luna sufre graves heridas y comienza a desmembrase hasta caer en las faldas del cerro. Entre tanto, las estrellas son destruidas por el señor de la guerra y el sol. Hutzilopochtli se levanta desde lo alto del cerro como el vencedor de la batalla.

Como ha afirmado López Luján, los mexicas buscaban un lugar con características similares a las de su patria originaria para poder fundar su ciudad, un sitio insular, con recursos económicos suficientes y estratégicamente ubicados; por eso trataron de crear artificialmente un medio lacustre en Coatépec.

Aun cuando los mexicas concebían Coatapec como el lugar para poder asentarse definitivamente, Huitzilopochtli les indica que no es todavía el lugar que él les ha prometido, por lo que los incita a reiniciar el peregrinaje. De esta manera reinician la marcha, adentrándose cada vez más hacia la cuenca de México, pasando por lugares como Atlaquihuayan, Tlemaco, Apazco, lugar donde nuevamente encienden otro fuego nuevo cerca del año 1269. Llegan a Zumpango, donde tienen algunos de sus primeros enfrentamientos bélicos con los pueblos asentados en la cuenca, hasta finalmente llegar a Chapultepec.

Nuevamente, Chapultepec es un sitio que los mexicas consideraban idóneo para poder asentarse, pues se encontraba muy cerca de los lagos, lo que sin duda les recordaba su antigua y misteriosa patria en Aztlan. Se dice que por lo menos durante 70 años estuvieron asentados en Chapultepec, el lugar del Cerro del Chapulín.

Uno de los lugares más importantes del mito de la migración
mexica es el cerro del Coatépetl o Cerro de la Serpiente,
lugar del nacimiento de su dios patrono Huitilopochtli.
Manuscrito Tovar, f.89.

Documentos como el *Códice Azcatitlan* o las referencias del padre Durán narran cómo el hijo de la hechicera Malinalxóchitl, quien, como recordamos, fue abandonada en Malinalco por designio de Huitzilopochtli, tenía la intención de vengar a su madre. Por ello, Cópil decide alborotar a los pueblos asentados en los alrededores de la cuenca de México, pueblos que se habían asentado poco antes que los mexicas y que veían a los nuevos extranjeros como posible competencia por la carrera del dominio de recursos económicos de los lagos y, sobre todo, del dominio político y militar. Por esta razón a Cópil no le fue difícil alborotar y juntar un ejército compuesto por chalcas, xochimilcas, culhuas, acolhuas y, por supuesto, malinalcas, quienes querían someter a los mexicanos derivados de la afrenta con la madre luna así como a otras etnias de habla náhuatl para hacer la guerra y expulsar a los mexicas de Chapultepec. Desde lo alto del cerro del Tepetzingo, Cópil estaba dirigiendo la batalla en contra de los mexicas.

Comienza la batalla. Los mexicas, quienes no tienen en este momento la tecnología y la experiencia para combatir a tan formidable grupo de hostiles, se ven acorralados hasta que Huitzilopochtli sale en su auxilio diciendo: "No tengáis pena, mexicanos, haced unas rodelas de cañas majadas y salid con ellas a la batalla, que yo os ayudaré...". Ellos, esforzándose, así lo hicieron, y tomando unas varas largas a manera de lanzas, algo gruesas, iban saltando acequias...". De la misma forma, en este momento es elegido un capitán general, que a su vez tenía el papel de caudillo, quien apostó por la batalla. "Electo el capitán general de esta gente,(Huitzilihuitl) mandó que por toda la frontera de aquel cerro se hiciesen muchas albarradas de piedra... donde todos se recogieron y fortalecieron, haciendo su centinela y guardián de día y de noche... aderezando flechas, macanas, varas arrojadizas, labrando piedras, haciendo hondas para su defensa...". (Fray Diego Durán, *Historia de las Indias de la Nueva España*).

Durante la batalla, Cópil, el hijo de la hechicera, se enfrenta directamente contra Huitzilopochtli, quien en pocos movimientos degüella a Cópil, le abre el pecho y extrae su corazón. Es el primer gran sacrificado de la historia mexica.

Uno de los principales caudillos de nuestra historia, además de Huitzilíhuitl, era Tenoch, a quien Huitzilopochtli ordenó que arrojara el preciado botín, el corazón de su más acérrimo enemigo, en un lugar muy especial, llamado Tlalcocomocco. Algunas fuentes aseguran que no fue Tenoch sino Cuauhtlequetzqui quien corrió desesperadamente con el corazón de Cópil en las manos y a lo lejos observó un petate sobre el cual descansaba el dios Quetzalcóatl, se paró sobre él y arrojó el corazón de Cópil a unos carrizales y tulares. Mientras tanto, el cuerpo de Cópil fue a dar al cerro que actualmente se desgana como Acopilco, de donde fluyen unos manantiales de agua caliente, el agua de Cópil.

Finalmente, los mexicas son derrotados y muchos de ellos, quizá la mayoría, capturados por la gente de Culhuacan, que en nuestro relato

El cerro del Chapulín, Chapultepec,
fue uno de los primeros lugares donde
los mexicas tuvieron serios enfrentamientos
con sus adversarios de la Cuenca de México.
Códice Azcatitlan, folio 9v.

chapultepec

chapultepec

mexica

huitsil

Acomo tlallico / honcatemacllanque
ca a tlaoui / mereulltiquen ancateq
huillon

mexica

xaltoc

colhuacan

mex...

ypane...

está arquetípicamente relacionado con el Culhuacan asociado a Aztlan.

En ese entonces, durante el siglo XIV d.C. la cuenca de México, localizada expresamente en el altiplano central mexicano, estaba conformada por una serie de serranías volcánicas, que como su propio nombre indica, conforman una cuenca que es inundada por tres lagos. Al norte, Zumpango y Xaltocan; al centro, el lago de Texcoco, y al sur, el de Chalco-Xochimilco. En este momento, todos los pueblos que partieron de la mítica Chicomostoc ya habían ocupado un territorio, y entre ellos, los tepanecas de Azcapozalco tenían prácticamente el dominio político y militar de la zona. En segundo lugar, más al sur, la gente de Culhuacan estaba en constantes guerras con los señoríos de Xochimilco, por lo que era necesario contar con algunos contingentes extra para su ejército. De esta manera, los mexicas se convirtieron en mercenarios del señor de Culhuacan: "Allí duraron cuatro años; engendraron, tuvieron hijos, allí sirvieron al señor de los culhuaques, Cocoxtli. Fue cuando hicieron la guerra a los xochimilcas, justamente a Cuauhtizapan. Los sacaron los mexicas, y con macanas de obsidiana los vencieron", narran algunas crónicas españolas . Uno de los momentos más impresionantes es cuando llegan los mexicas con el señor de Culhuacan y le entregan una bolsa repleta de orejas que han sido arrancadas de las cabezas de los enemigos xochimilcas.

Gracias a estas victorias los mexicas consideran que es momento para solicitar al señor de Culhuacan un sitio para poder asentarse de forma un poco más independiente, así el gobernante, con intenciones de deshacerse de una buena vez de los mexicas, les asigna el lugar de Tizapan, sitio que se caracterizaba por estar repleto de animales ponzoñosos, sobre todo serpientes de cascabel. Pero para sorpresa de los culhuaques dichas serpientes sirvieron más de alimento que como plaga para el pueblo tenochca.

De esta forma, los mexicas estaban comenzando a forjarse una reputación como grandes guerreros de mucho carácter, por ello, con el paso del tiempo, solicitan al señor de Culhuacan a su hija para poder desposarla con alguno de los jóvenes mexicas. Debemos recordar que la gente de Culhuacan tenía fuertes lazos con sus antepasados, los toltecas, quienes ya tenían prestigio de grandes orfebres y artistas, y esta era la mejor forma de que este grupo, que poco a poco dejaba de ser un pueblo errante y desconocido, se emparara y cubriera con un poco de esa nobleza que muchos pueblos de la región codiciaban.

Sin embargo, ahora son los mexicas quienes tienen un propósito oculto detrás de este supuesto matrimonio, ya que por designio de Huitzilopochtli se esperaba un macabro ritual del cual el señor de Culhuacan no tenía idea.

El fin de una travesía

Corría el año 1325 d.C., y el señor de Culhuacan fue invitado a la fiesta para ver cómo su
hija iba a ser transformada en la personificación
de la diosa Yaocíhual o diosa guerrera. Se encontraba conversando con los más altos dirigentes
políticos del pueblo mexica y esperando el
momento de ver a su hija ataviada con ricos
jubones, flores, plumas y seguramente acompa-
ñada de algún mancebo mexica. La sala donde se
llevaba a cabo el acto estaba invadida por grandes cantidades de humo y copal, que servía para
purificar la celebración; de pronto el gobernante
de Culhuacan dejó ver entre las nubes de copal a
su hija, pero afinando mejor la vista se dio
cuenta de algo espeluznante: realmente no se
trataba de su hija, era un hombre, un sacerdote,
ataviado con la piel recientemente desollada del
cuerpo sacrificado de su hija. Ese era el designio
de Huitzilopochtli, era un sacrifico humano que
debía alimentar al astro sol. En ese momento, la
furia de los culhuacanos no se hizo esperar y de
nueva cuenta comenzó la batalla. El ejército
culhuacano se arremolinó para sacar de su territorio a los mexicas, y en la refriega los mexicas
fueron perseguidos y obligados a esconderse en
el lago, entre los carrizales y tulares, según dicen
las fuentes: "salió toda la gente de ella en arma y
dándoles combate, los metieron en la laguna
hasta que casi no hallaban pie. (Los mexicas)
viéndose tan apretados, [...] comenzaron a disparar tanta de la vara arrojadiza que son aquellas

armas de que ellos hacían mucho caso y confianza" (*Historia de las Indias de la Nueva España,* Fray Diego Durán).

Para facilitar el paso de las mujeres y los niños, varios de los jóvenes utilizaron sus escudos a modo de canoas. Cuauhtlequetzqui y Axolohuan, también conocido como Tenoch, quienes iban al frente del descontrolado pueblo mexica, tuvieron la primer visión: de pronto, de entre los carrizales se observan algunas cañas, sauces y espadañas que comienzan a volverse blanquecinos, y cerca de ellos, una serie de ranas, peces y renacuajos, también de color blanco, los rodean. La geografía del lugar se transforma, divinizada y repleta de metáforas relacionadas con la dualidad de la cosmovisión indígena. Cuevas de las que brotan dos arroyos con características opuestas, en los que al entrelazarse confluyen las fuerzas y esencias cósmicas de todas las cosas, se encontraban en el centro mismo del universo mexica. El designio sagrado estaba cerca, la memoria de estos dos caudillos recordaba que era en ese mismo lugar donde se había enterrado el corazón del astrólogo Cópil. En su lugar se encontraba un gran nopal sobre el cual un águila real con las alas extendidas se encontraba en pleno combate y a punto de matar a una serpiente de cascabel; otras fuentes afirman que el águila se encontraba devorando aves de diversos colores. Nuestros personajes, inmediatamente, se agacharon para hacer una reverencia, humillándose ante su dios: se trataba del mismo Huitzilopochtli transformado en águila quien, como representante del sol como en Coatepec, triunfa sobre la serpiente, imagen viva de la luna y las estrellas o Cenzohuiznahuac, los 400 urianos, representados por las aves de diversos colores que pocas veces aparecen en documentos como el *Códice Tovar*. El sitio escogido, efectivamente, recreaba arquetípicamente un ambiente lacustre, en medio de los cañaverales, tal como la patria originaria, Aztlan. Finalmente, ese fue el lugar designado por Huitzilopochtli; habían llegado a la tierra prometida.

Ténoch tiene un presentimiento y decide internarse en la laguna, exactamente por debajo del nopal. Su compañero, sorprendido, ve cómo poco a poco Tenoch se sumerge en las aguas divinas, dándolo por muerto. Al día siguiente, reaparece Ténoch con un mensaje del dios del agua, Tláloc: "Ya llegó mi hijo Huitzilopochtli, esta es su casa. Es el único a quien debe quererse, y permanecerá conmigo en este mundo" *(Códice Aubin)*.

La arqueología nos revela algunos monumentos de este extraordinario hecho. El Teocalli de la Guerra Sagrada, monumento escultórico del arte mexica, representa en su parte posterior el momento portentoso; un águila posada sobre un nopal y del cual emerge el símbolo de la guerra florida, el átltlachinolli. Nuevamente la dualidad se hace presente, el fuego y el agua se combinan en un solo glifo, este monumento puede ser admirado en la sala mexica del Museo Nacional de Antropología de México, es la primera expresión original que se tiene de este acontecimiento.

Regresando a nuestro relato, pronto todo el grupo mexica fue informado de que habían llegado al lugar indicado, y nada tardaron en comenzar a limpiar los alrededores y los arroyos, y se preparaban para construir el primer templo principal de Huitzilopochtli y Tláloc, eje tanto vertical como horizontal del universo, donde confluirían las esencias vitales de todo lo que sería el posterior imperio mexica. Fundarían allí una de las ciudades más poderosas del mundo mesoamericano, el sitio simplemente iba a ser conocido como Tenochtitlan Cuauhtli itlacuayan, donde está el águila que devora en el tunal sobre la piedra.

Los primeros años de México-Tenochtitlan

En el siglo XIV, la cuenca de México estaba dominada por el señor Acolnahuacatzin de Azcapozalco, pueblo tepaneca localizado al noroeste de la cuenca; precisamente el territorio que los mexicas habían ocupado para establecer su ciudad pertenecía a este señorío tepaneca. Realmente ya no tenían mucho entre lo que escoger, ya que como hemos visto, varios pueblos se les adelantaron durante la migración y con el transcurso de su llegada fueron ocupando poco a poco toda las inmediaciones de la cuenca de México. En aquel entonces, la cuenca de México estaba formada en sus costados norte, este y oeste por serranías volcánicas que le daban forma de cuenco, y que se encontraban inundadas por los lagos ya antes mencionados, que en épocas de lluvia podía, llegar a conformar un solo espejo de agua. Pese a ello, uno de los principales problemas del asentamiento en esta zona era la escasez de agua potable, madera y piedra para la construcción, aspecto que, como veremos, llegaron a resolver.

Varios grupos de habla náhuatl se encontraban distribuidos en toda la cuenca. Gran parte de la zona norte de la cuenca, así como todo el occidente, estaba dominada por el señor de Azcapozalco y los tepanecas. Al sur, los señoríos de Culhuacan, Chalco y Xochimilco. Al este se extendía la región del Acolhuacan, mejor conocida por su capital, la ciudad de Texcoco, incluyendo algunos otros reinos de mediana importancia, que en muchos de los casos llevaban a cabo pequeñas alianzas tripartitas. Esta fue una de las características políticas de este momento.

Imaginemos por un momento: un grupo de mexicas está preparando una pequeña expedición a poco más de 15 kilómetros de la zona que han comenzado a limpiar de hierba y piedras para poder construir su primer templo principal. El objetivo de este grupo es obtener piedra y madera. Entre tanto, otros se ocupan de cazar y pescar todo lo que el lago les brinda: peces, ranas, renacuajos, patos y pájaros de todo tipo, para llevarlos a las demás regiones y comerciar con ellos. Una parte de la piedra y la madera será comprada con el dinero obtenido de la venta de sus mercancías; la otra, será obtenida de la Sierra de las Cruces, al norte del sitio elegido por Huitzilopochtli. Y con este material comenzarán a construir lo que será su primer templo, pequeño, de escasas dimensiones, con unas pequeñas chozas de adobe alrededor, en las que los pobladores podrán vivir. Este primer templo principal es lo que los arqueólogos han denominado etapa I del sitio arqueológico, hoy en la Ciudad de México bajo el nombre de Templo Mayor. Una etapa constructiva de la que, por desgracia, solo se ha podido recuperar una pequeña plataforma de, aproximadamente, 11.6 m de altura, que servía de base para construir el edificio principal mexica. Dicha plataforma podía emerger del lago a una altura de hasta 5 m. Además, los arqueólogos han encontrado algunas escalinatas, el suelo de los adoratorios y una pequeña escultura del dios Tláloc.

El Templo Mayor serviría de eje principal para distribuir un arquetipo cósmico que finalmente acababa materializado en una ciudad. De manera horizontal, esta se distribuiría en cuatro sectores que apuntaban hacia los cuatro puntos del universo. Al noroeste quedaría Aztacoalco; al noreste, Cuepopan; al sureste, Zoquipan, y al suroeste, Moyotlan, los mismos puntos que se han identificado como barrios, según dijera don Alfonso Caso.

Posteriormente comenzaron a distribuirse los linajes que vivirían allí bajo una organización conocida como calpulli, y que se establecían por grupos de parentesco basados en un antepasado común y bajo la protección de un dios patrono, llamado calpultéotl.

Tenochtli, aún como caudillo y dirigente del grupo, consideró pertinente presentarse ante el señor de Azcapozalco como tributarios y mercenarios, ya que, como sabemos, este territorio pertenecía finalmente a los tepanecas. De esta manera, los mexicas apoyaron en constantes guerras a los tepanecas, llegando a conformar poco a poco un excelente grupo militar.

Mientras esto sucedía, un reducido grupo de mexicas abandonaba la ciudad de Tenochtitlan y se dirigía a unos cuantos kilómetros al norte para fundar, en el año 1337, la ciudad gemela de México-Tlatelolco, como resultado de algunas discordias.

De esta forma, a los mexicas de ambas ciudades no les quedo más remedio que ser tributarios del señor de Azcapozalco, que para el año de 1367 ya contaba con uno de sus más famosos gobernantes, Tezozomoc. Este había impuesto una carga muy pesada de tributos a los mexicas, entre ellas se recuerda, por ejemplo, el de llevar una garza que estuviera empollando huevos y que estuviera a punto de dar nacimiento a sus polluelos, en el instante mismo debían ser presentados frente al señor de Azcapozalco.

Viajemos de nuevo en el tiempo. Los mexicas se arremolinan alrededor del cuerpo de un gran personaje: su caudillo Tenoch ha muerto y es necesario restablecer un nuevo orden político entre su gente. Todos exigen su Huey Tlatoani, su primer gran señor supremo, pero lo ideal era que este señor estuviera emparentado con los linajes de la estirpe tolteca, y quiénes mejor que los señores de Culhuacan para poder apoyar en esta misión.

De esta manera se reunió un consejo de 20 aristócratas que junto con Tenoch dirigían a la incipiente nación mexica y convocaron una reunión con el señor de Culhuacan para solicitarle que su hijo, Acamapichtli, figurara como el primer gran señor de Tenochtitlan. Después de una larga espera, los culhuacanos, finalmente, accedieron a la petición, y en el año de 1356 Acamapichtli dio comienzo a la gran estirpe nobiliaria del pueblo mexica.

Entre los primeros trabajos de este soberano mexica se encontró el apoyo al señor Tezozomoc, quien alistó un gran ejército del que formaba parte su nuevo señor, Acamapichtli. El objetivo fue la conquista de los señoríos del sur de la cuenca: Xochimilco, Cuitlahuac, Mizquic e incluso Cuauhnahuac, hoy la actual Cuernavaca, en el estado de Morelos.

Gracias a estas victorias y a los afanes de Acamapichli por ser un buen soberano, los recursos económicos de la incipiente Tenochtitlan iban en aumento. Se construyó un templo un poco más grande, la estructura de la ciudad cobraba cada vez más forma con la edificación de nuevos palacios, casas y templos, como indican algunos relatos: "Bien sabe tu corazón que nos hallamos en linderos, en sitios que son de otra gente. Todavía no es nuestra tierra, habrás de afanarte, de esforzarte, de obrar y trabajar como siervo, pues estas son tierras propiedad de Azcapozalco" (Diego Francisco Chimalpain. *Las ocho relaciones y el memorial de Culhuacán*) Pese a que Acamapichtli quería la verdadera libertad de Tenochtitlan, esta estaba tan lejos aún que no le correspondería a este soberano lograrla.

Estamos en el año 1396, se están haciendo los preparativos para llevar a cabo uno de los rituales más importantes en Tenochtitlan; el ritual funerario de su gobernante, ¡Acapachitli ha muerto! Sabemos por las fuentes escritas y recientemente por los vestigios arqueológicos cómo reconstruir de forma clara y precisa lo que era un ritual funerario de un gobernante mexica. Como veremos más adelante, tenían unas concepciones muy interesantes con respecto al mundo de los muertos. Una de ellas era el hecho de que aquellos que morían en la guerra o por causas naturales como tlamiquiztli (muerte por tierra) debían ser incinerados, práctica común durante el Posclásico Tardío en buena parte de Mesoamérica. La cremación del cadáver jugaba un papel importante para su viaje al más allá. Imaginemos por un momento el excelso funeral que seguramente los mexicas hicieron a su señor Acamapichtli, aspecto que podemos en cierta forma conocer arqueológicamente por las ofrendas mortuorias del Templo Mayor:

Los sacerdotes más importantes de Tenochtitlan se han dado cita para honrar el cuerpo del difunto tlatoani. La sala donde será depositado el cadáver está siendo preparada, se esparce un denso

En este códice la fundación de Tenochtitlán es representada por el águila posada sobre un nopal que surge de una piedra a manera de corazón. Varios personajes admiran el momento, uno de ellos es el caudillo Tenoch que se encuentra anunciando el momento con la vírgula de la palabra. *Códice Mendocino,* lámina 1.

humo de copal por todo el cuarto, en el suelo han colocado toda una serie de presentes, que serán depositados junto con los restos del difunto. De entre ellos sobresale una pequeña urna de cerámica con la representación del dios Tezcatlipoca. Debemos recordar al lector que toda la ciudad de Tenochtitlan estaba recubierta de estuco, un especie de enlucido de cal y arena que servía como recubrimiento de suelos y paredes. Los ayudantes de los sacerdotes comienzan a romper el suelo, comienzan eliminando el recubrimiento de estuco y posteriormente empiezan a retirar algunas lajas de piedra con las que se ha elaborado originalmente el suelo del templo. Después, preparan una pequeña oquedad en el suelo, la recubren con pequeños ladrillos de tezontle, dándole la forma final de una caja de sillares. Mientras esto sucede, un tlacuilo, es decir, un escribano o pintor de códices, registra el evento en un documento pictográfico. Cerca de ellos, las ofrendas están listas: chocolate, pulque, flores, papel, puntas de flecha, navajas prismáticas de obsidiana, fragmentos de sahumadores y algo más importante: en una sala especial se encuentran los cuerpos de varios individuos que fueron sacrificados ex profeso para ser enterrados junto con el cuerpo de su señor. Entre ellos destacan enanos, esclavos, sacerdotes, y hasta un perro, para acompañar fielmente al difunto.

Cuando nacía un niño de la nobleza, se tenía la costumbre de cortarle un mechón de pelo, que en este caso también acompañaría a las ofrendas mortuorias de Acamapichtli junto con un mechón de la cabellera de su cadáver recién cortado. La ceremonia está lista. Una gran pira de fuego se ha prendido en lo alto del Templo Mayor, y el cuerpo de Acamapichtli se ha envuelto fuertemente en un petate y se introduce en la hoguera de copal y tea junto a la imagen de Huitzilopochtli. Los sacerdotes han puesto en su boca una piedra preciosa de color verde.

Una vez consumada la incineración, los sacerdotes han colocado los restos en la urna cineraria de cerámica, en la que también han depositado la piedra verde, el chalchihuite, el corazón del señor, junto con los mechones de pelo. Después, una serie de ceremonias acompañarán el descenso de la urna hasta la caja de sillares previamente elaborada. Es necesario que el alma del muerto no se fraccione, por ello colocan una pequeña escultura encima de la caja. Solo faltan cuatro etapas más en las que continuarán los rituales y los sacrificios hasta que, finalmente, vuelven a sellar la caja de sillares con un nueva capa de estuco. Es probable que primero procedieran a la quema del cuerpo del difunto y que después, con la sangre de los sacrificados, se apagara la pira y, juntado todo lo depositado, se procediera a elaborar la oquedad en el piso y colocar las ofrendas en conjunto. De esta manera tendríamos una idea aproximada de lo que las fuentes, junto con los hallazgos arqueológicos, nos cuentan sobre las ceremonias fúnebres de los señores, en este caso de Acamapichtli.

Las ceremonias en su honor continuarán hasta cuatro años después de su muerte, según lo marcado por la información de autores como

Leonardo López Luján. Tendremos oportunidad de conocer más sobre la concepción del más allá por parte de los antiguos mexicanos en posteriores capítulos.

Volviendo a nuestra historia, gracias a las relaciones de parentesco que estableció Acamapichli con los culhuacanos, se comenzó a conformar la nobleza mexica de Tenochtitlan, posteriormente denominada bajo el término de pillis o pipiltin.

Los pipiltin o gente noble tendrían a su cargo todas las labores administrativas, religiosas, militares y políticas de gran importancia. Entre sus privilegios se encontraba el poder utilizar vestimentas de algodón, sandalias de media talonera, ornamentos de oro, alimentarse con cacao, o la utilización de psicotrópicos para las ceremonias. Algunos de estos productos, como el algodón, fueron resultado de las relaciones políticas que, con el tiempo, los tlatoque mexicas iban consiguiendo con el desposamiento de sus mujeres. Los pillis también se encargaban de ser los distribuidores del excedente en caso de desastre; eran conocedores del calendario y la escritura. Sus casas se encontraban lo más cerca posible e incluso dentro del centro ceremonial.

Por otro lado tenemos a la clase tributaria, representada por los macehualtin, en la cual recaía la mayor parte de la producción económica de la ciudad. Eran miembros los pequeños comerciantes, los artesanos y sobre todo los agricultores, quienes obtenían sus tierras en función de lo que internamente fuese distribuido por el jefe del calpulli. Una buena parte del excedente de estas tierras iba a parar a manos del estado mexica, siendo esta la principal diferencia entre pillis y macehualtin.

Los macehualtin habitaban en las afueras de la ciudad, en pequeñas chozas elaboradas de adobe y bajareque. No les estaba permitido usar vestimentas de algodón, por lo que tenían que elaborar su ropa con fibras de ixtle.

La política interna del grupo fue integrada en primer término por el tlatoani (el que habla) o señor supremo, que estaba apoyado por el cihua-cóatl, quien lo apoyaba en sus funciones, sobre todo en las militares y religiosas. Después, los militares y los sacerdotes integraban la escala más alta, seguidos de algunos funcionarios que apoya-ban administrativamente al estado mexica, en este caso personajes como el Huey Calpixqui, quien durante las futuras guerras de conquista ayudaría a recaudar el impuesto de los pueblos sometidos.

Muerto Acamapichtli, era necesario contar con un segundo gobernante que continuara alimen-tado la estirpe tolteca. Es así como en el año 1397 es electo el Huehue Huiztilihuitl, hijo de Acama-pichtli. Durante este tiempo es electo en la capital gemela de México Tlatelolco el señor Tlacatéotl. Mejoró las relaciones políticas con sus enemigos casándose con una de las hijas del señor de Azca-pozalco, lo que les brindó algunos beneficios, considerando que eran tributarios de este pueblo. Huiztilíhuitl empezó por dotar de infraestructura a la ciudad de Tenochtitlan, como por ejemplo con la construcción de un acueducto que iba desde Chapultepec hasta la misma capital mexica.

Los lazos afectivos de Huiztilíhuitl con otros señoríos como el de Cuahunahuac le permitieron que la emergente clase nobiliaria de Tenochtitlan tuviera mayores cargas de algodón para sus cada vez más suntuosas vestimentas. Y otro de los aspectos que tiene principal importancia en el reinado de Huiztilíhuitl es el inicio de una gran experiencia en el campo de la milicia al lado de las tropas tepencas. Ya no solo como simples mercenarios, sino realmente como aliados, lo que incluyó algunos lazos familiares que unían a Huiztilihuitl con el señor Tezozomoc y que le permitieron engrandecer poco a poco su ciudad y establecer con las diferentes batallas un ejército que iba cobrando fama, por lo menos en la cuenca de México.

Isabel Bueno afirma que una de las principales aportaciones de aquel ejército a la estructura militar fue el establecimiento de rangos militares como el de tlacochcálcatl, que fue otorgado a uno de los futuros tlatoque de Tenochtitlan, su hermano Izcóatl, y sobre todo un aspecto poco tratado en la historia militar mexica, como fue el desarrollo de las tácticas navales, sistema que permitió, junto con el ejército tepaneca, llevar a cabo una de las conquistas más importantes de este reinado, la del señorío del Acolhuacan en Texcoco, el tlatoani Ixlilxóchitl.

La batalla se libró con gran ferocidad, sobre todo por parte de los ejércitos mexicas. Pero no solo fue esta la zona de acción del ejército tepaneca-mexica, las fuentes aseguran que una parte del norte en la zona de Xaltocan fue conquistada en la región otomiana de Cuauhtitlán, Tequizquiac y Xiquipilco. Y hacia el noreste Acolman, Otumba y Tulancingo. Algunos autores como Nigel Davies argumentan, en función de la discrepancia de las fuentes que fue realmente la del norte una conquista exclusivamente tepaneca sin ayuda mexica, y que en algunos casos las fuentes la atribuyen al reinado de Huitzilihuitl. Sea como fuere, queda claro que todas las conquistas que este señor hiciera eran finalmente botín para los tepanecas. Pero en el año 1417 sucede algo inesperado, la muerte de Huitzilíhuitl.

Su hijo Chimalpopoca, de diez años de edad, el tercer señor de Tenochtitlan, debía suceder a su padre tras su muerte. Cuenta la historia que cuando subió al trono la nobleza mexicana le dio un arco y flechas y un macuahuitl, que eran las armas con las cuales pretendían salir del sometimiento de los señores de Azcapozalco. La entrañable relación de Chimalpopoca con su abuelo, Tezozomoc, duraría poco, ya que unos años después de su entronización su abuelo fallecería. De esta manera, los grandes beneficios obtenidos por Huitzilíhuitl comenzaban a perderse, y empeoró la situación cuando llegó un usurpador al trono: Maxtla. Él dio grandes dolores de cabeza a los mexicas, que no estaban de acuerdo con la política paternalista que había seguido Tezozomoc.

Es un día cualquiera en la antigua Tenochtitlan, corre el año 12 conejo, 1426. Chimalpopoca se encuentra reposando en su palacio, de noche, y ha solicitado a su guardia personal que lo deje un momento solo. Ya han pasado cerca de 13 años de reinado en Tenochtitlan. Uno de los beneficios que ha obtenido para su pueblo ha sido disminuir la carga de tributo que pagaban a Azcapozalco, pero ahora con el usurpador Maxtla las cosas cambian. Chimalpopoca se ve preocupado, pero el sueño le vence y cae rendido. De pronto, un grupo de guerreros tepenecas ha entrado al palacio sin que nadie lo vea, y de un momento a otro entra en la habitación de Chimalpopoca para asesinarlo. A su muerte silenciosa, salen del palacio sin ser vistos.

Muy de mañana, algunos de los principales de la ciudad se acercan a saludar a su rey como siempre lo hacen, y un gran grito despierta a toda la ciudad al darse cuenta de que Chimalpopoca ha sido presa del odio tepeneca.

Pero esto no significaría que durante su reinado efímero Chimalpopoca no lograra algunos avances de vital importancia para el futuro del próximo imperio mexica, como sofocar algunas revueltas de la gente de Chalco que ya habían sido vencidos en el reinado de Acamapichtli , según el *Códice Azcatitlan*.

El asesinato de Chimalpopoca ponía al pueblo mexica en la cuerda floja. "Mucho se afligían los mexicas cuando se les decía que los tepenecas de Maxtlaton los harían perecer; los rodearían en son de guerra" (Alvarado Tezozomoc, *Crónica mexicáyotl*).

De forma discreta, convocaron una solemne reunión para las honras fúnebres de su gobernante. Invitaron a los señores de Texcoco y Culhuacan, a quienes dieron la noticia de lo ocurrido.

La gente de ambos señoríos ofreció su ayuda a los de Tenochtitlan: bastimentos, agua, materiales de construcción, les apoyarían en lo que fuera necesario. También fueron invitados para la siguiente ceremonia que tendría por objeto la entronización del siguiente señor de Tenochtitlan. Muchos sabían que la ilustre estirpe de la sangre real mexicana no acabaría con la muerte de Chimalpopoca, y debían convocar urgentemente una nueva junta para la sucesión del próximo tlatoani que los guiaría, animaría y haría que se esforzaran en contra de sus enemigos. Esta vez sería un personaje que daría la talla para iniciar una revuelta que permitiría a los mexicas deshacerse de sus enemigos y comenzar el más ferviente mandato de Huitzilopochtli, y convertirlo en el verdadero y único Pueblo del Sol.

EL CENTRO DEL
UNIVERSO

3

EL PACTO DE IZCÓATL

La nueva entronización del cuarto tlatoani traería una serie de cambios muy significativos en la historia de esta civilización. El consejo superior está reunido, los principales señores de Texcoco y Culhuacan se encuentran reunidos para conocer los designios de Huiztilopochtli. Y el elegido es Izcóatl, la serpiente de navajas, hijo de Acamapichtli, que tenía grandes méritos militares y era famoso por su valor y su esfuerzo. A los de Texcoco les pareció bien, pues su rey estaba casado con una de las hermanas de Izcóatl. La gente del pueblo se arremolinaba para ver al nuevo tlatoani, los sacerdotes y nobles decían a su rey: "Señor, ten piedad de los pobres, las mujeres y los niños que a gatas andan por la ciudad, ten fuerza contra los enemigos que nos affigen y preparan una guerra para destruirnos". Muchos de los más pobres solicitaban a Izcóatl que organizase nuevamente una embajada para ir con Azcapozalco con efecto de evitar la guerra tan peligrosa que podía acabar con sus familias y hogares, y que se ofreciese a servirles nuevamente.

De pronto se alzó una voz de entre la multitud, y dijo: "¿Qué es esto, mexicanos? ¿Estáis locos? ¿Cómo hay entre nosotros tanta cobardía que hemos de ir a rendirnos a los de Azcapozalco?". Y vuelto hacia el rey, dijo: "¿Cómo, señor, permitís tal cosa? Hablad a ese pueblo y decidle que deje de buscar medio para nuestra defensa y honor y que no nos pongamos tan necios y fácilmente en las manos de nuestros enemigos" (José Acosta, *Historia natural y moral de las Indias*). Ese individuo jugaría uno de los papeles más importantes en la historia del Pueblo del Sol, su nombre era Tlacaelel, sobrino del tlatoani.

Las palabras de su sobrino enfurecieron el corazón de Izcóatl, quien en resumen dijo: "¡Perded, mexicanos, el temor!" Y Tlacaelel, decidido, consideró ir personalmente en una embajada con los de Azcapozalco para tratar de evitar la guerra, pero también anunció que en caso contrario se armaría hasta los dientes y dejaría claro que los mexicanos se esforzarían hasta el último hombre para conseguir defender a su pueblo.

Sin embargo, un hecho inesperado estaba por suceder. El señorío del Acolhuacan, mejor conocido como el tirano de Texcoco también había sufrido algunos contratiempos. El reino de Texcoco, que se encontraba al este de la cuenca de México, estaba pasando por un muy mal momento político, ya que años antes su tlatoani, Ixtlilxóchitl también había sido presa de los tepanecas y sus aliados. Fue estrangulado y rematado con una serie de flechazos. Fue entonces cuando su legítimo sucesor, Nezahualcóyotl, *el coyote hambriento,* emprendió una larga y épica huida que está especialmente representada en documentos como el *Códice Xólotl.* Una de las narraciones más interesantes de su huida es la que relata el momento en el que Coyohua, uno de sus principales siervos, le ayuda a escapar. Nezahualcóyotl tenía noticia de que el ejército tepaneca iba a buscarlo con afán de matarlo, de forma que ideó un plan para escapar.

Se menciona que, cuando llegó el ejército que iba especialmente para detener a Nezahualcoyol este se escondió mientras Coyohua, con gran discreción, recibía a los tepanecas. El ejército preguntó: "¿Dónde está su señor, que venimos por él?". Coyohua, inteligentemente, les dice: "Vengan conmigo, que les llevaré a un templo para honrar su presencia, mi señor vendrá en poco tiempo". En ese momento, comienza una pequeña ceremonia en la que una serie de sahumadores con copal comienzan a ahumar toda la sala, lo que permite que el joven Nezahualcoyotl se interne primero bajo la toga de Coyohua y después desaparezca por un agujero hecho ex profeso por la parte trasera del templo. De esta manera, el joven Nezahualcoyotl desaparece por algún tiempo por los

Una de las primeras reconstrucciones del recinto ceremonial de México-Tenochtitlán desarollada por el arquitecto Ignacio Marquina.

alrededores del Acolhuacan para poder, tarde o temprano, regresar y retomar su trono.

Después de una dura batalla, el señor Nezahualcoyotl recobra, once años después de la muerte de su padre, el gobierno de Texcoco. De esta manera, Izcóatl envía una embajada al señor de los acolhuas, quienes inicialmente veían a los mexicas como aliados de Tezozomoc y de los tepanecas. Sin embargo, los embajadores mexicas comentaron a Nezahualcoyotl su verdadera situación frente a Maxtla, hasta que finalmente accedieron a apoyar a los mexicas en su liberación del imperio tepeneca. De esta forma vendría el famoso pacto de Izcóatl, en el cual aseguraba la derrota de los tepanecas a la clase menos privilegiada, que era más reacia y temerosa de la guerra que se avecinaba; en este caso los macehualtin, que recordaban bien las derrotas sufridas en Chapultepec y Culhuacan en el inicio de su historia y no deseaban que estas se repitieran. Pese a ello, Izcóatl les incitaba para que las precariedades del Pueblo del Sol terminaran, diciendo: "Si resultáramos vencidos, desde ahora nos obligamos a ponernos en vuestras manos para que os venguéis de nosotros". Por otro lado, las fortunas y botines de las batallas quedarían por lo menos en manos de los dos pueblos en coalición, Texcoco y Tenochtitlan. Así quedó establecido el pacto entre nobles y siervos de la antigua Tenochtitlan para iniciar la revuelta en contra de los tepanecas.

Se dice que Tlacaelel, en la última embajada que envió al reino de Azcapozalco, llevaba por órdenes de Izcóatl un macuahuitl y un escudo, un líquido especial con el cual se ungía a los muertos y una serie de plumas. Al llegar frente a Maxtla, Tlacaelel le dijo: "El señor de Tenochtitlan, Izcóatl, me ha mandado para entregarle estas dos armas". Así se acerca Tlacaelel a Maxtla y lo unta con el aceite funerario, símbolo de su próxima muerte, y le empluma la cabeza para dar por terminada una pequeña ceremonia que realmente estaba simbolizando la declaración de guerra de los mexicanos a la gente de Azcapozalco. Maxtla le dio unas armas a Tlacaelel para que devolviese la aceptación de la declaración de guerra y le asegurara que no iba a salir por la puerta principal, pues la gente del pueblo le estaba esperando para matarlo. Pasó Tlacaelel por un pasillo y consiguió salir del palacio de Maxtla, desafiando a los guardias y diciendo: "Ah, tepenecas, ah, azcapuzalcas. ¡Qué mal hacéis vuestro oficio de guardar, pues sabed que todos vais a morir, y que no ha de quedar tepeneca con vida" (José Acosta, *Historia natural y moral de las Indias*).

Cuando llegaran a Tenochtitlan todo estaría listo, comenzarían los preparativos de una de las batallas más importantes de la Historia de México: la del ejército texcocano-mexicano contra los opresores tepanecas.

Nezahualcóyotl, por su parte, reunió a la mayor cantidad de gente que pudo y la desembarcó cerca de la ciudad de Tlatelolco. El ejército estaba listo. Una parte, los más valerosos y experimentados, serían los primeros en comenzar la batalla; los segundos se quedarían junto a Izcóatl, ya que al frente del combate estaría Tlacaelel como general principal.

De esta manera, Tlacaelel ordenó el ejército probablemente en unidades específicas de guerreros con armas de largo alcance al frente, como son hondas y lanza dardos, y al final, los de armas de choque. Se acercó a la ciudad de Azcapozalco, y en cuestión de unos minutos el ejército tepeneca estaba sobre ellos con gran furia, mejor aprovisionados y con un mayor número de efectivos. En el momento oportuno, Izcóatl hizo resonar un pequeño tambor que llevaba en la espalda, y a grito de "México, México" el ejército mexica se lanzó a la batalla. Así, las tropas de Izcóatl se dividieron en tres partes, que actuarían en diversos puntos de ataque. Maxtla, refugiado en una pequeña fortaleza, se defendía bien; se dice que la lucha duró ciento quince días. En cuestión de poco tiempo, el ejército tepeneca fue forzado a huir a su ciudad.Los mexicas no tardaron mucho en seguirlos y entrar en ella, seguidos del primer contingente que esperaba con Izcóatl. Quemaron y arrasaron todo lo que encontraron a su paso, pasaron a cuchillo a su población y saquearon lo que tras muchos años de imperialismo había obtenido como botín el reino de Azcapozaclo. Muchos guerreros tepanecas, al ver su ciudad en total destrucción, huyeron a los cerros cercanos, donde el ejercito mexica los alcanzó y no les quedó más que pedir clemencia a Tlacaelel, quien dio por terminada la batalla.

Pero ¿qué fue de Maxtla? Alva Ixlilxóchitl asegura que Maxtla fue encontrado cerca de un

escondite en sus jardines y fue el propio Nezahualcoyotl quien, en memoria del asesinato de su
padre, mandó sacrificar a Maxtla en el centro de
la gran plaza de la ciudad de Azcapozalco, extrayéndole el corazón. Cuentan algunas fuentes que
el usurpador al trono tepaneca huyó a su antiguo
refugio en Coyoacán y que no fue realmente
sacrificado en su palacio. Todo esto acontecía en
el año 1428, fecha que señalan los especialistas
del mundo mexica, entre ellos los historiadores
quienes hablan de la etapa imperial y los arqueólogos que designan este como el periodo Azteca
tardío. Con ello comienza lo que ha señalado el
doctor León Portilla como "los cien años de
esplendor del Pueblo del Sol". La carrera militar
e imperialista mexica había comenzado realmente, y una de sus primeras tareas debía ser la
conquista de los aliados tepanecas y la recon-
quista de los pueblos sometidos del desaparecido
imperio tepaneca. ¡El Imperio mexica se encontraba en proceso de formación!

En ese sentido, una de las primeras víctimas
fue el señorío de Coyoacán. En sobradas ocasiones la gente de Coyoacán se burlaba de las mujeres mexicas y buscaba provocar una guerra con
Tenochtitlan. Se cuenta que en alguna ocasión
invitaron a algunos señores de Tenochtitlan a un
convite en Coyoacán, y en lugar de postre les
entregaron una serie de ropas de mujer argumen-
tando que se vistieran con ellas, que eran una
mujercitas por no querer hacer la guerra con Coyoacán.

De esta forma, Tlacaelel, sin más, planeó una emboscada en la cual una parte del ejército al mando de Izcóatl, por el frente, daría batalla a los de Coyoacán, y por detrás Tlacaelel los rodearía y derrotaría sin mayor problema. Así, comenzaban a producirse las conquistas de los ejércitos mexicas en la cuenca de México.

Por otro lado Izcóatl, entre otras muchas cosas, llevó a cabo una serie de reformas políticas internas y externas. Respecto a las internas, dictó una serie de medidas que diferenciaban claramente a los nobles y a los plebeyos, como originalmente se había pactado antes de la guerra entre pillis y macehualtin. También centralizó el poder, la administración pública, fortaleció las instituciones militares y religiosas y determinó como unas de las principales carreras la guerra y la religión. Muchos de estos cambios, sobre todo la ideología místico-guerrera, fue impulsada notablemente por su segundo al mando, Tlacaelel.

La política interna había derivado en una serie de cargos perfectamente jerarquizados, muchos de los cuales solo estaban reservados para la gente de la nobleza. Este tipo de "reinos" se denominaban tlatocáyotl, y en ellos un gobernante específico, el tlatoani, podía regir sobre sociedades pluriétnicas, que en su gran mayoría estaban integradas por mexicas. Con ello quere-

Cerámica matlatzinca.
Foto: Marco Antonio Pacheco.

mos decir que la ciudad de Tenochtitlan no estaba solamente habitada por mexicas, sino que en algunos de sus barrios también se podían encontrar algunos inmigrantes, entre ellos otomíes, xochimilcas y huexotzincas.

En la escala más alta de la tlatocáyotl se encontraba el tlatoani, que era el máximo representante militar, político-administrativo y religioso de la ciudad. Después estaba el cihuacóatl (la mujer serpiente), que representaba simbólicamente, dentro del universo mesoamericano, al opuesto; en este caso el concepto de lo femenino, lo frío, la oscuridad. Paradójicamente, este personaje nunca fue una mujer, era solo la investidura simbólica que proyecta la dualidad cósmica del universo mexica entre luz/oscuridad, frío/caliente, cielo/tierra; elementos que, como veremos a lo largo de nuestro recorrido, van a estar presentes en todo el mundo mesoamericano. Al igual que el tlatoani, el cihuacoatl era un poderoso representante de la milicia y del clero que fungía como brazo derecho del señor supremo y, en caso de guerra, de capitán del ejército, supliendo en ocasiones al tlatoani en aspectos jurídico-administrativos. Quizá deberíamos equipararlo a un vicepresidente de nuestros tiempos.

Tres eran los cuerpos especializados que ayudaban al tlatoani y al cihuacoatl en su trabajo de gobierno de nivel administrativo, militar y religioso. En el campo administrativo se encontraba el Huey Calpixqui, cuya función principal era la de recaudar los impuestos. El petlacálcatl estaba encargado de su almacenamiento y distribución. A nivel militar se encontraban los tlacatécatl y tlacohcalcatl, encargados de las tropas y el almacenamiento y distribución de las armas. Y finalmente, en el plano religioso se encontraban los sumos sacerdotes, representados cósmicamente por el Quetzalcóatl Totec Tlamacazqui y el Quetzalcóatl Tlaloc Tlamacasqui, consagrados respectivamente a las más importantes ceremonias del Templo Mayor y los dioses principales. Esta era, pues, en forma general, la distribución de los más altos cargos de gobierno en la Tenochtitlan imperial. Por debajo de cada institución se encontraba una creciente burocracia que estaba representada, en su mayoría, por nobles y casos muy concretos de niveles no muy altos, por aquellos macehualtin que por méritos sobre todo militares pudieran acceder a dichos puestos, pues los más elevados niveles solo se reservaban para los pillis.

La política externa de Tenochtitlan llevó al señor Izcoatl a crear una serie de alianzas que ya desde inicios del Posclásico Temprano, entre los años 900 y 1200 d.C. venían perfilándose, siendo esta una de las principales características de este periodo. Me refiero a las alianzas que generalmente se daban por triunviratos. Nuevamente se aterrizaba terrenalmente en la visión cósmica del universo. Las "Triples Alianzas", también denominadas Excan Tlatoloyan, estaban representadas en este caso por los señoríos de Texcoco, Tenochtitlan y Tlacopan, quienes respectivamente representaban el cielo, la tierra y el inframundo, conforme al modelo cósmico nahua imperante en ese momento. De esta forma, todos los beneficios obtenidos en las conquistas iban a estar repartidos "equitativamente" entre cada una de las partes de la Excan Tlatoloyan. Sin embargo, con el paso del tiempo fue realmente Tenochtitlan quien fue adquiriendo mayor porcentaje y poder en este triunvirato.

La política expansionista de la Triple Alianza, y sobre todo de Tenochtitlan, les llevó a conquistar los alrededores de la cuenca de México, sobre todo hacia el sur, sometiendo a otros señoríos como Xochimilco, Chalco y Cuitláhuac. La conquista de Xochimilco trajo algunos beneficios interesantes. Primero, debemos decir que la batalla se libró en campo abierto, donde los mexicas y Tlacaelel pudieron desplegar un ejército bien ordenado y nuevamente establecido en unidades específicas, en tanto que los Xochimilcas, a falta de cierta experiencia militar, no pudieron lograrlo. Así, los mexicas iban consolidando una supremacía militar y política que iba dejando atrás el pasado oscuro de los mexicas durante su migración. Fue entonces cuando, por consejo de Tlacaelel nuevamente, decidieron borrar esa amarga y poco prestigiosa etapa de la historia mexica, recordando a los pueblos de los alrededores que ellos nunca fueron vasallos de nadie, sino que comenzaban a ser uno de los pueblos más poderosos y prestigiosos de la región. Así dicen los cantos mexicanos:

> Se guardaba su historia.
> Pero entonces fue quemada;
> cuando reinó Izcóatl en México

Se tomó una resolución.
Los señores mexicas dijeron:
no conviene que toda la gente conozca las pinturas.

Los que están sujetos se echarán a perder
Y andar
A torcida la tierra
Porque allí se guarda mucha mentira,
Y muchos en ellos han sido tenidos por dioses.

(*Códice Matritense*)

Gracias a esta nueva reforma de la historia mexica ,Tlacaelel e Izcóatl consideraron que mucha parte de la historia de la migración mexica, como ya vimos, estaba plagada de incongruencias. Con los códices eliminados, la nueva historia mexica solo estaría llena de grandes victorias y sería reflejo de un grandioso desarrollo cultural que nadie negaría, ni siquiera sus más acérrimos enemigos.

Así, también Tlacaelel instauró una nueva visión del universo: como ya Huitzilopochtli había desganado, tendrían que fundar una gran ciudad que fuera el ombligo del universo, el centro del cosmos, el cual sería representado por el sol mismo, que debía ser alimentado con la sangre de los hombres, la sangre de los sacrificados, de los cautivos de guerra. Esta ideología místico-guerrera llevó a Izcóatl, por sugerencia de Tlacaelel, a instaurar las afamadas Guerras Floridas o Guerras Religiosas, cuyo objetivo era la captura de prisioneros para llevar al sacrificio. La sangre derramada permitiría la constante supervivencia del sol y la caricia de sus rayos en la tierra, que beneficiarían a los cultivos de los hombres. Esta instauración de las guerras floridas también permitió, como veremos más adelante, una movilidad social importante que no se había dado antes durante la etapa de la migración.

Algunos especialistas argumentan que fue más con el siguiente tlatoani, Moctezuma Ilhicamina, con quien se instauraron definitivamente las guerras floridas.

Moctezuma Ilhuicamina y la expansión del imperio

Corre el año 1440 y los señores de Texcoco, Tacuba y el propio Tlacaelel se han dado cita para elegir al quinto señor de Tenochtitlan. De entre los nobles hay un muchacho que ha sido reconocido por su valor y buen desempeño en la guerra contra Azcapozalco. Además deriva del noble linaje mexica. El nuevo tlatoani de Tenochtitlan es Moctezuma Ilhuicamina, de cuyas conquistas no solamente conservamos grandes relatos sino también algunos monumentos, en los que podemos ver plasmada la historia de este gobernante.

La arqueología nos permite tocar literalmente la historia que las fuentes escritas y otros documentos nos cuentan. En algún momento, Tlacaelel le sugiere a Moctezuma que hagan una piedra que sea semejanza del sol y la pongan en un lugar alto y la llamen Cuauhxicalli, que quiere decir vaso de águilas. (Fray Diego Durán, *Historia de las Indias de Nueva España e Islas de Tierra Firme*) Este monumento ha llegado a nosotros gracias a la arqueología. Se trata de un monolito circular que representa al sol, y que ha sido estudiado por el arqueólogo Felipe Solís. La escultura tenía dos importantes funciones: la primera, servir como base de una de las ceremonias de sacrificio más interesantes de la historia mexica, el sacrificio gladiatorio, y por el otro exaltar algunas de las conquistas militares más importantes de este gobernante; en este caso once conquistas representadas por Moctezuma Ilhiucamina, a quien se le ve sujetando de los cabellos al dios patrono de los pueblos sometidos. Como veremos a continuación, Moctezuma Ilhicamina fue quien impulsó la gloria y la fama de un pueblo hasta ahora desconocido en toda Mesoamérica.

Viajemos en el tiempo y veamos la ceremonia de entronización de este señor: Moctezuma se encuentra frente a una imagen de su dios en el Templo Mayor, se le han otorgado unas puntas de garra de jaguar y unas de venado; con ellas se perfora los lóbulos de las orejas y con la sangre que emana de ellas purifica el acto de entronización; así los principales señores, guerreros sacerdotes y mucha gente de la nobleza se arremolinan para darle la bienvenida. En la distancia, mucha gente trata de saber quién es el nuevo tlatoani, pero esto no se les dirá hasta pasadas las fiestas. En la sala principal, un grupo de bailarines ameniza la fiesta, y cerca, en una mesa con vajillas de color anaranjado con decoraciones blancas y negras de gran brillo, que están repletas de todo tipo de manjares, se observa a los principales alimentándose de diversos platos. Sin embargo, Moctezuma sabe que la verdadera entronización está por llegar, pues lo primero que deberá hacer a partir de hoy cada nuevo gobernante que suba al trono de Tenochtitlan será dar guerra a alguno de sus enemigos para reafirmar su casta como guerrero. Y esto se llevará a cabo el mismo día de su fiesta. Así, una de las guerras más importantes de su reinado estaba por comenzar. La conquista de casi toda la cuenca de México estaba concluida, el trabajo de su predecesor había sido fulminante; sin embargo, el reino de Chalco aún era peligrosamente estable y esta era la única barrera para poder comenzar a extender los dominios más allá de la cuenca misma. De este modo, el objetivo lógico que debía asumir en ese momento Moctezuma Ilhicamina sería atacar a Chalco. Sin embargo, existía un pequeño detalle: esa no sería una guerra de conquista como cualquier otra; se trataría de una campaña cuyo objetivo principal sería obtener víctimas para el sacrifico, pues ya era necesario volver a ampliar el templo principal de su dios y por tanto eran necesarios nuevos sacrificios, tanto para honrar a su dios como para probar a las nuevas generaciones de jóvenes guerreros que estarían en su futuro ejército.

Desde este momento y hasta los posteriores reinados de los tlatoque mexicas se instauraría esta tradición de hacer la guerra durante la entronización de los señores mexicas, y más aún cuando el tlatoani emprendía su primera campaña, en la que debía capturar él mismo un prisionero para demostrar su arrojo en la guerra, de manera que cuando este lograba tal objetivo era motivo de grandes fiestas entre el pueblo.

De la mano de Tlacaelel, las nuevas reformas políticas que venían gestándose desde el mandato anterior exigían cada vez más sacrificios humanos, que requerían nuevas incursiones en territorio enemigo para obtener rehenes que sacrificar en honor del dios Sol, Huitzilopochtli. Como ha afirmado Nigel Davies, Chalco era una nación poderosa que de no ser conquistada podía tratar de someter a Tenochtitlan en cuanto Moctezuma descuidara el frente por tratar de dominar otras regiones, y más si recordamos que Moctezuma fue su cautivo durante las guerras contra Azcapozalco y afortunadamente logró escapar de sus garras para no ser sacrificado. Así, la empresa de conquista de Chalco duraría poco más de 18 años, ya que realmente este enfrentamiento se estaba produciendo desde el año 1376 y no concluiría hasta 1465. Con el tiempo, esta guerra de tipo florido se fue transformando en una verdadera guerra de conquista.

El *casus belli* de esta confrontación entre chalcas y mexicas se dio cuando los chalcas se negaron a tributar piedra para el nuevo engrandecimiento del Templo Mayor mexica. La batalla se gestó rápidamente, y los dos ejércitos se vieron las caras en Techicho. La primera batalla sucedió un día en el que Davies afirma que hubo muchas bajas en los dos flancos, pero tiempo después los mexicas ganaron terreno y capturaron un buen número de guerreros. Terminada esta afanosa guerra, Moctezuma estaba preparado con la Excan Tlatoloyan para expandir el imperio. Hacia el sur, cerca de Chalco, logra la conquista de Tepeaca, que no opuso mucha resistencia. Con la ayuda de Nezahualcóyotl y el ejército texcocano, comienza a hacer lo que nuca antes, extiende los dominios hacia el este, rumbo a la Costa del Golfo, dominando la región huaxteca. Para ello debía acceder y dominar algunos señoríos intermedios, como Tulancingo, en el actual estado de Hidalgo.

Resalta el hecho de que Tlacaelel le aconseja dejar libres a los señoríos de Tlaxcala y Huexotzingo con el fin de que se conviertan en zona de aprovisionamiento de cautivos para las constantes ceremonias de sacrifico humano. Así lo atestiguan las fuentes:

> Sacrifíquense esos hijos del sol, que no faltarán hombres para estrenar el templo cuando estuviese del todo acabado. (...) sino que se busque un cómodo y un mercado (Tlaxcala y Huexotzingo) donde como a tal mercado, acuda nuestro dios, acuda con su ejército a comprar víctimas y gente que coma... para el servicio del admirable Huitzilopochtli.

Hacia el noroeste tuvo que enfrentarse a los ejércitos mixtecos que cayeron fácilmente, dominando los señoríos de Coixtlahuaca, junto con otros señoríos de Oaxaca, y después más lejos, contra los chontales de Guerrero y regiones como Cotaxtla y Cuahutochco.

La nueva organización administrativa de Tlacaelel y Moctezuma incluía una carga tributaria de los pueblos sometidos de forma permanente y organizada, que incluía grandes cantidades de bienes de prestigio, alimentos y otros productos venidos de las regiones sometidas, lo que propició el engrandecimiento cada vez mayor de un pueblo que unos cuantos años atrás era solo vasallo de los señores de Azcapozalco.

Después de cada victoria podemos imaginar un día en la ciudad de Tenochtitlan con afluencia de grandes cantidades de productos tributados y llegados a la ciudad...

Un niño se acerca sus padres para hablarles de las nuevas cantidades de fruta, maíz y, sobre todo, ropas de algodón que están llegando a la ciudad. Ellos son macehaltin, por tanto sus ropas son de ixtle, no les es permitido el uso de algodón, pero en las fiesta del señor de Tenochtitlan se sabe que visten a todos y dan especiales y bien servidas comidas, todo ello producto de las conquistas. Entra con orden en la ciudad, entre tanto, un funcionario del gobierno junto con algunos tlacuilos; pintores de códices van registrando en documentos lo que llega de cada provincia: ropa de todo tipo, cacao, oro, plata, plumería, fardos de algodón, diversos tipos de legumbres. Por delante de todo esto iban los representantes de las diferentes provincias. Algunos de estos registros han llegado hasta nosotros a través de documentos como la *Matrícula de*

Tributos y el *Códice Mendoza,* que no es otra cosa que parte de una copia posterior de este documento.

Pese a ello, la gran prosperidad que Tenochtitlan iba teniendo se vio oscurecida durante el año 1454 con una fuerte sequía que duraría dos años más y que trajo consigo la reducción de la producción agrícola y una gran hambruna, a la cual tuvo que hacer frente Moctezuma con las afortunadas y crecientes arcas del estado. Se dice que algunos habitantes de Tenochtitlan tuvieron que irse a vender como esclavos al Totonacapac, en Veracruz, a cambio de alimentos.

Moctezuma, consciente de la supremacía política y militar que estaba teniendo, consideró pertinente volver la cara a su pasado más remoto y retomar sus orígenes. Por ello, organizó una expedición para ir en busca de la mítica Aztlan. De esta manera, la expedición emprendió la marcha, y se afirma que encontraron el mítico lugar de Chcomoztoc, lugar de las Siete Cuevas, así como Culhuacan. Lo más interesante es que se encontraron nuevamente con la madre de su dios Huiztilopochtli, a la cual rindieron algunos presentes en nombre de Moctezuma.

En el año de 2 pedernal o 1468, con poco más de 28 años de reinado, el más largo de la historia imperial mexica, y con una tradición que continuaría por los demás tlatoque que le sucederían, murió el señor de Tenochtitlan, Moctezuma I. Uno de los aspectos más relevantes de la historia de este gobernante que está muy conectado con la arqueología mexica del momento es que se considera que durante el reinado de este tlatoani comienza el esplendor de un estilo artístico escultórico de gran monumentalidad, muy propio del pueblo mexica. Pese a ello, con los recientes hallazgos del Templo Mayor en la Sexta temporada de campo, podemos afirmar que esta grandiosidad se puede haber comenzado algunos años antes, durante el reinado anterior.

DOS HERMANOS AMPLÍAN LAS FRONTERAS

Los años transcurrían, y el imperio azteca dejaba ya grandes huellas de su poder en gran parte de la entonces Mesoamérica. Tras la muerte de Moctezuma Ilhuicamina, el sucesor idóneo era Tlacaelel, quien desde hacía ya dos mandatos había sido, en gran medida, la cabeza intelectual de la creación de este imperio. Sin embargo, la renuncia de Tlacaelel al trono de Tenochtitlan trajo un pequeño desconcierto al consejo supremo, por lo que se optó por escoger a Axayácatl, que era el más pequeño de tres hermanos y quizá el más sagaz de los tres, ya que uno de ellos, Tezozomoc, que no debe ser confundido con el gran señor de Azcapozalco, nunca llegó al trono de Tenochtitlan. Por otro lado, Tízoc, hijo también de Izcóatl, sería el futuro sucesor de Axayácatl.

Mientras México Tenochtitlan continuaba su desarrollo como una poderosa ciudad junto con las localidades aliadas de la Excan Tlatoloyan, la ciudad gemela, México-Tlatelolco, tenía su propio desarrollo, basado sobre todo en la economía comercial que magnificaba, en gran medida, su mercado. Hasta ahora Tlatelolco, junto con Tenochtitlan y al igual que esta, había tenido sus propios gobernantes, cuatro. Sin embargo, esta última veía a Tlatelolco como un potente rival, por lo que consideraba necesaria su futura destrucción. Las diferencias políticas que se gestaban desde la migración entre ambos pueblos se habían llevado con cierta tranquilidad gracias, en algún momento, a Nezahualcoyotl, que fungía como árbitro de las constantes disputas. Pero su muerte, que coincide con la entronización de Axayácatl, haría que las cosas cambiaran notablemente. La historia de Tlateolco transcurre de forma paralela a la de Tenochtitlan, desde su fundación en 1337, teniendo solamente cinco soberanos: Cuacuahupuzahuac, Tlacatéolt, Cuahutlatoa y Moquihuix, de los cuales parece que solamente los dos últimos fungieron verdaderamente como soberanos independientes ya que antes, como sabemos, pertenecían, al igual que Tenochtitlan, a los tepaneca. Pese a ello, la relación de los tlatelolca con los tepaneca unos años antes que los mexica trajo consigo algunas enemistades y envidias, lo que probablemente agudizó las entregas de Tlatelolco contra Tenochtitlan. Aun desde la etapa de la migración debemos recordar el pasaje en el que ambos grupos mexicas se encontraban con dos bultos sagrados: uno de una piedra preciosa y otra de unos palos por los cuales se pelean, quedando la piedra preciosa, símbolo de la Luna, en manos de los tlatelocas, y los palos, símbolo del Sol, en manos de los tenochcas.

Cuacuahupizahuac reinó desde 1376 a 1418 coincidiendo con los reinados de Acamapichtli y Huiztilíhuitl. Posteriormente sube al trono Tlacatéotl, su hijo, quien gobernó pocos años, pues falleció de una muerte violenta algunos años después, no sin haber logrado para su reino y sobre todo para los tepanecas algunas conquistas, llegando hasta Tulancingo, de acuerdo con Nigel Davies. La muerte de Tlacatéoltl coincide con la instauración de la Triple Alianza y la caída del imperio tepaneca, en 1428. En cierta forma, como ha afirmado Isabel Bueno, los tlatelolcas gozaban de Azcapozalco con la implantación de un menor tributo hasta su caída en 1428. Desde este momento, dentro de la Triple Alianza Tlatelolco siempre figuró en segundo término, ya que la misma Tenochtitlan nunca dio oportunidad de asegurarse un puesto dentro de la Excan Tlatoloyan. El siguiente tlatoani de Tlatelolco fue Cuauhtlatoa, quien reinaría cerca de 29 años.

Conocemos muy bien la distribución urbana de Tlatelolco no solamente por los relatos de los conquistadores sino por la extensa zona excavada desde los años cuarenta del siglo pasado y de la cual se conserva el actual sitio arqueológico, mucho mayor que la capital mexica de los tenochcas. Curiosamente, el afamado mercado que sabemos que representó la actividad principal de esta ciudad, y que de alguna manera dio nombre a la ciudad, Tlatelolco, derivado de Tlatelli, "lugar para vender", aún no ha sido detectado arqueológicamente. Algunos investigadores, como el ya fallecido Francisco González Rul, apoyan la idea de que el nombre de Tlatelolco parece más bien querer decir "lugar del cerro", derivado de Tlatelolli.

Estas exploraciones, entre otras muchas cosas, permitieron conocer la gran similitud que existía entre el Templo Mayor de Tenochtitlan y el de Tlatelolco. Edificios como el Templo Calendárico, el dedicado a Ehécatl y otras estructuras permiten reconstruir de forma interesante esta gran ciudad. Resalta el hecho de que no conocemos nada de las respectivas exploraciones que desarrollaran desde los años 40 Antonieta Espejo, y Robert Barlow. Gracias a las recientes investigaciones de Salvador Guilhem hemos conocido un repertorio escultórico tan impresionante como el de la ciudad gemela de Tenochtitlan. Sin embargo, sí contamos con algunos de los mejores ejemplares y de las más ricas colecciones de cerámica azteca III que actualmente forman parte de las colecciones mexicas del Museo Nacional de Antropología, así como con interesantes ejemplos de la pintura mural y las tallas en madera de los bellos dinteles que decoraban la ciudad.

El principal pretexto para que Tlatelolco sucumbiera ante Tenochtitlan y la situación se transformara en una verdadera guerra fueron los supuestos malos tratos que la hermana de Axayacatl sufría de Moquixix, el gobernante de Tlatelolco. El choque entre ambas ciudades se había dado incluso desde los tiempos de la peregrinación, pues desde un principio se apoyaron en los tepanecas como tributarios, y lo que más enfureció à Axayácatl fue el supuesto maltrato de Moquihuix sobre su hermana, lo que sin duda encolerizó al señor de Tenochtitlan y trajo consigo una guerra rápida y sangrienta.

Antes de la gran batalla, los capitanes generales del ejército tlatelolco instruían a sus jóvenes guerreros en las lagunas con dardos para cazar patos y les aconsejaban, diciéndoles: "Si podéis matar aves qué no podréis hacer a los tenochcas, que van a pie." Se cuenta que tanto Moquihuix como Axayacatl sirvieron al trono de sus respectivas ciudades casi al mismo tiempo, y que Moquihuix, siendo invitado a la entronización de Axayacatl, se negó rotundamente a asistir para acrecentar los roces entre ambas ciudades.

Sabemos que los mexicas no ejercían un control político directo sobre las ciudades sometidas, ya que mientras ellas brindaran el tributo solicitado por Tenochtitlan podrían, en cierta forman continuar con sus propios gobiernos; pero en el caso de Tlatelolco parecía claro que no. La batalla se inició en un lugar llamado Tezontlalan macuayan, "el lugar del tezontle". Algunas fuentes argumentan que realmente la batalla se dio entre el mismo Axayácatl y Moquihuix, justa que aparece representada en algunos documentos pictográficos como el *Códice Cozcatzin,* en el cual se aprecia la cabeza de Moquihuix escupiendo sangre sobre el topónimo de Tlatelolco. Se cuenta que Moquihuix intentó ponerse a salvo en el templo principal de Tlatelolco, pero Axayacatl logró alcanzarlo y lo despeñó por el templo para posteriormente mandar quemarlo.

Tras la derrota tlatelolcoa se impuso una anexión total y completa de este pueblo al imperio, y sobre todo al gobierno de Tenochtitlan. Ya no tendrían más soberanía como ciudad independiente. Esto incluía los grandes beneficios y potenciales económicos que el mercado representaba inicialmente para Tlatelolco.

Antes de que se produjera la conquista, Axayácatl se dedicó en cuerpo y alma a extender más el territorio de su imperio, estableciendo un control importante en el valle de Toluca y lo que actualmente es la parte del territorio del Estado de México sobre el pueblo llamado matlatzinca y otomí; es decir, hacia el lado oeste del imperio.

La narración de cómo se llevó a cabo dicha empresa militar destaca por el hecho de que Axayácatl estuvo a punto de fallecer, fue gravemente herido y seguramente acabó agotado tras la batalla, pero fue milagrosamente salvado por sus señores.

Así, el principal señor de Tenochtitlan, el señor "rostro de agua", el que tiene el poder de hablar el Huey Tlatoani, se reunió con el sabio y ya viejo cihuacóatl Tlacaelel en su palacio. Era Tlacaelel ya tan viejo que debían llevarlo en brazos entre varios de los siervos de la corte mexica. La reunión debía, sobre todo, servir para preparar la batalla para la conquista de la región matlatzinca. De este modo, también se reunieron los príncipes aliados de Texcoco, Nezahualpilli, y Chimalpopoca de Tlacopan, también conocido como Tacuba. Igualmente, los generales de mayor rango tlacochcálcatl y tlacatecatl, para decidir el futuro de la zona de Toluca.

Los aliados decidieron conjugar sus fuerzas de manera que cada aliado y barrio aportaría un número suficiente de guerreros para establecer las líneas de combate y las unidades específicas dentro del campo de batalla. Dentro de ellos se estableció a los niños de más de 15 años quienes, recién salidos del telpochcalli y el calmecac, demostrarían sus aptitudes guerreras por vez primera.

Una vez que estuvo todo preparado, marcharon los ejércitos aliancistas rumbo al territorio de los toloques. Los principales señores de la confederación iban al frente de los ejércitos, ataviados con hermosos plumajes y oro.

Los guerreros mexicas, ataviados con trajes de águila, jaguar y coyote, y los novatos, que acompañaban a sus maestros cargando el arsenal y que iban vestidos simplemente con pequeños máxtlatl o taparrabos, marchaban hacia la batalla.

Las huestes comenzaron a entrar en el actual territorio mexiquense. Sometieron territorios como Atlacolco y Xialatlaco, y se adentraron en las inmediaciones del valle de Toluca para, finalmente, encontrarse frente a frente con los ejércitos matlatzincas, quienes eran reconocidos en toda la cuenca de México por su arrojo y el buen uso de la honda.

Los ataques comenzaron en contra de los matlatzincas, cuya estrategia estaba basada en la experiencia de Tlacaelel. Se transmitió la orden de salir por el puente de Chinahuatenco para destruir las tropas de Toluca, y sobre todo para capturar prisioneros para el sacrificio. Se transmitió la orden a todo el ejército, y comenzó la batalla con el retumbar de los tambores. Los guerreros toloques y mexicas se enfrascaban así en una fuerte refriega. La segunda línea de los esforzados mexicas se metía para capturar a los prisioneros, mientras la primera atacaba a diestro y siniestro, una táctica que sirvió para que muchos guerreros toloques fueran capturados y sacrificados.

Terminada esta batalla de forma inmediata y sin mediar descanso, alistaron los ejércitos para marchar en contra de los pueblos otomíes de la parte septentrional del valle de Toluca, para someter la región. El principal puesto era la capital de Xiquipilco, donde residía Tlilcuetzpalin, el gran tlatoani otomí.

El señor otomi era tan poderoso, que Axayácatl decidió que deberían medir sus fuerzas directamente, y lo buscó entre la batalla para enfrentarse con él cara a cara. Con gran habilidad, comenzaron su propia batalla. El señor Axayácatl fue alcanzado por el macuahuitl del señor de Xiquipilco en el muslo. Al percatarse de esto, los generales otomíes se prestaron a atacar a Axayácatl, derrumbándolo a golpes. Los mexicas cercanos se lanzaron contra los enemigos para liberarlo. Los guerreros águila y jaguar mexica se lanzaron con furia contra los otomíes. Sus dioses fueron destruidos; la ciudad, saqueada y quemada. Gran parte de esta batalla puede ser vislumbrada en documentos pictográficos como el *Códice Azcatitlan* y el *Telleriano Remensis*.

Algunos de los estados sometidos en esta empresa fueron Xiquipilco, Atlacomulco, Xocotitlan. La herida producida por el señor de Xiquipilco dañó permanentemente a Axayácatl, dejándolo cojo hasta el momento de su muerte.

Lo que impedía a Axayácatl poder extenderse hacia las costas del Pacífico era sobre todo el poderoso pueblo de los tarascos, el más importante rival militar de los mexicas. Al final de su reinado había logrado someter a más de 37 pueblos enemigos; sin embargo, su más importante victoria sobre Tlatelolco contrasta con su más fuerte derrota en contra del señorío purépecha.

La segunda gran campaña militar de Axayácatl después de la derrota de los señoríos de Toluca fue contra los tarascos de Michoacán. Este enfrentamiento es uno de los más famosos en la historia prehispánica, ya que es una de las pocas derrotas que sufrieron los mexicas durante su expansión imperial. Las atribuciones logísticas y, sobre todo, el sistema de armamento son los fundamentos básicos para argumentar el por qué de esta derrota.

Las huestes mexicas estaban a punto de enfrentarse al ejército tarasco en la región de Tlaximaloyan. La mayoría de las veces el ejército mexica era bastante reticente a enfrentarse a ejércitos de mayor superioridad numérica que el suyo, pero en este caso el ejército tarasco lo superaba considerablemente, además de que la organización de la campaña en general parecía haber sido deficiente. Durante la primera arremetida tarasca, el ejército azteca salió huyendo. Sin embargo, al día siguiente los generales decidieron atacar nuevamente, dejando un resultado bastante catastrófico para la historia del ejército mexica. Una buena cantidad de soldados fueron capturados y otra buena parte fueron aniquilados, quedando un reducido número de guerreros.

Tras esta derrota, Axayácatl llevó a cabo algunas pequeñas campañas más para limpiar su nombre de la derrota sufrida. Estas pequeñas campañas se dieron en poblados cercanos a Puebla, capturando alrededor de 700 guerreros para el sacrificio y sofocando algunas rebeliones menores.

Además de la superioridad numérica del ejército tarasco también se explica esta derrota por la supuesta superioridad en los sistemas de armamento.

Realmente durante la época azteca la mayoría de los pueblos mesoamericanos conocían los mismos tipos de armas, incluyendo el novedoso macuahuitl; sin embargo, la mayoría de los investigadores atribuyen ya no solo la forma sino los materiales de elaboración como uno de los principales factores de superioridad. En este sentido, el pueblo tarasco comenzaba a tener un alto grado de desarrollo metalúrgico, tecnología con la cual elaboraron muchos artefactos, incluyendo algunas armas.

Las armas ofensivas de largo alcance que usaron los tarascos fueron principalmente el arco y la flecha, y en ciertas ocasiones, la honda. Como armas ofensivas de rango corto usaban lanzas y, principalmente, el quauhololli. Esta particular arma se componía de un palo de madera al cual se añadía una gran pelota de piedra que era utilizada como mazo. En muchas representaciones de códices aparece la gran contundencia que tenía esta arma para causar lesiones, principalmente graves fracturas de cráneo. Como armas defensivas usaban escudos y corazas de algodón, que decoraban con puntos y líneas rojas. Por otro lado, parece que no fue tan generalizado entre los tarascos del macuahuitl pero algunas referencias de ciertos documentos como la *Relación de Michoacán* afirman que toda la gente llevaba unas porras de encina. Otras, en las cabezas de aquellas porras, ponían muchas puyas de cobre, agudas (*Relación de Michoacán*). También el metal era utilizado para la fabricación de puntas de lanza y flechas, así como de hachas que también podían utilizarse para el trabajo de la madera. Se piensa que solo los veteranos utilizaban armas de choque como mazos y macuahuitl, y que el armamento de largo alcance estaba reservado para los novatos. Desde otra perspectiva, también se considera que solo los nobles podían usar armas de corto alcance. En algunas regiones como Pátazuaro, donde el algodón no es muy común, se utilizaban armaduras de fibra de maguey.

Generalmente, antes de partir a la guerra, se llevaban a cabo diversas ceremonias en las que se fabricaban algunas pelotillas de olores que sometían al fuego para que desprendieran ciertos humos que llegaran a los dioses; todo ello acompañado de ciertas oraciones que auguraban buena suerte en las batallas: "Tú, señor, que tienes la gente de tal pueblo en cargo, recibe estos olores, y deja a algunos de tus vasallos para que tomemos parte en las guerras" (*Relación de Michoacán*). Terminada la ceremonia, el gran cazonci, nombre que se les daba a los gobernantes tarascos, enviaba a todos los rincones de su señorío varios mensajeros para que cada pueblo reuniera a sus respectivos guerreros y se alistaran para la guerra.

Entre tanto, esta misma ceremonia se repetía localmente. De esta manera, los guerreros marchaban a la batalla repletos de provisiones, ropajes y una bebida de harina de maíz, para dar energía en el camino. Buena parte de estos guerreros eran enviados precisamente a la frontera con México, donde muchas veces ya los estaban esperando varios guerreros mexicas, principalmente los llamados otomíes u otómitl.

Es importante destacar que la magia jugaba papeles importantes en la guerra, ya que los tarascos, en algunas ocasiones, enviaban a sus espías para allanar las moradas de sus enemigos y colocar las mismas pelotillas de olores usadas en sus ceremonias militares junto con plumas de águilas y flechas ensangrentadas.

Los ejércitos estaban organizados en escuadrones de 400 hombres aproximadamente. Los guerreros llevaban sus escudos en la espalda, junto con sus carcaj para llevar las respectivas flechas (poco más de 20 por carcaj), llevando también consigo brazaletes, orejeras y cascabeles de oro, que han sido recuperados arqueológicamente cosidos a fragmentos de tela, lo que indica la forma en que los colocaban en sus ropajes. En las espaldas llevaban unos mástiles de madera con banderas para que los diferenciaran de sus adversarios por el color y motivos inscritos.

Los tarascos tenían un buen conocimiento de la poliorcética (arte de sitiar), ya que generalmente cuando iban a destruir un pueblo juntaban una buena cantidad de leña para incendiar el poblado conquistado. Varios escuadrones cercaban el lugar a destruir, en tanto que otros prendían fuego a las casas y los templos saqueando, tomando a mujeres y varones y dejando de lado a la gente mayor y los niños.

Al igual que los mexicas, los tarascos conformaron un vasto imperio basado en las conquistas militares, imperio que abarcaba cerca de 75 kilómetros cuadrados comprendidos entre el río Lerma, al norte, y el Balsas, al sur. Los tarascos, básicamente desde el reinado de Axayácatl, confeccionaron una frontera fortificada que siguió vigente durante el reinado de Ahuitzotl y Moctezuma II, quienes también intentaron la conquista de la zona, sin éxito.

Los mismos tarascos también practicaron el sacrificio humano y confeccionaron sus propias versiones de lo que los mexicas llamaron en lengua náhuatl tzompantli, es decir, que probablemente también llevaron a cabo la captura de varios enemigos dentro de sus constantes batallas, e incluyeron también la recaudación de tributos. Contrastando con la arqueología mexica, las evidencias del pueblo tarasco y su práctica militar no son tan concretas. Más sabemos de ello por las fuentes que por la arqueología misma. Ejemplo de ello son algunas hachas de cobre recuperadas de diversos centros tarascos, entre ellos la capital de imperio, Tzin Tzu Tzan.

Durante su reinado, Axayácatl también se ocupó de supervisar el embellecimiento y engrandecimiento de la ciudad. Las narraciones del padre Durán describen que se mandó esculpir "una piedra famosa y grande, muy labrada, donde están esculpidas las figuras de los meses, los años, los días y las semanas, con tanta curiosidad que era cosa de verse". No es otra cosa que lo que podríamos considerar el segundo escudo nacional mexicano, mal llamado calendario azteca, y mejor conocido como la Piedra del Sol. Algunos investigadores como León Portilla aseguran que Axayácatl vivió para inaugurar un templo en el cual se encontraría empotrada esta importante manifestación del arte mexica. Sin embargo, resulta paradójico saber por estudios arqueológicos que dicho monumento ni siquiera fue terminado; es decir, es una escultura inacabada que inicialmente de acuerdo con las hipótesis de Hermann Beyer y de Felipe Solís fue elaborada para ser un temalácatl o piedra de sacrificio, y durante el proceso de elaboración se fracturó y terminó siendo lo que actualmente conocemos como la Piedra del Sol.

Hacia el año 1790 fue encontrada en el centro de la Ciudad de México y estudiada inicialmente por don Antonio de León y Gama, siendo así considerada como el primer hallazgo de la arqueología mexicana oficial.

El gran monumento circular aún conserva en sus costados gran parte de los vestigios de roca que los artistas indígenas no pudieron desbastar.

Iconográficamente, el monumento describe las cuatro eras cosmológicas anteriores a la era mexica. El primer círculo tallado en la escultura comienza con el glifo de trece ácatl o trece cañas, que representa bajo el sistema calendárico indígena la fecha que sabemos que corresponde al reinado de Axayácatl, conforme a la versión de algunos investigadores. Este glifo es el parte aguas para que dos grandes serpientes de fuego, llamadas Xiuhcóatl, se encuentren frente a frente en la parte inferior del monumento. El siguiente círculo representa una serie de rayos solares que están atravesados por espinas de maguey, símbolo del autosacrifico. El último círculo es, sin duda, el que inicialmente dio el nombre a la escultura, ya que representa una serie de glifos calendáricos alusivos a los meses indígenas.

De acuerdo con la cosmovisión indígena, en algún tiempo en que aún no estaban los hombres, existieron cuatro grandes eras, que estaban representadas por los dioses patronos del viento, el agua, la lluvia y el fuego. La primera era aquella en la que los protohombres se habían transformado en monos en la fecha 4 ehécatl o 4 viento. Se dice que eran monos por el movimiento que ejercen al subir los árboles, como el viento, además de ser representantes de Ehécatl Quetzalcóatl, una advocación de Quetzalcóatl en el que el mayor atributo es el viento. Después, en el año 4 océlolt, los protohombres fueron devorados por grandes jaguares, quienes representaban a la noche y al dios Tezcatlipoca. En la siguiente estaba representado Tláloc. Esta fue destruida por lluvia de fuego. La cuarta era la de Chalchihuitlicue, diosa del agua que devastó a los protohumanos al transformarlos en peces. Esto último ocurría en la fecha 4 atl o 4 agua.

Los mexicas estaban viviendo en esta última era, que según su cosmovisión perdura hasta nuestros días: la era del nahui ollin o 4 movimiento, representada precisamente por la unión de los cuatro cuadrantes antes descritos y bellamente representados en el centro de la Piedra del Sol. Estos cuadros, en los cuales fue plasmada la imagen de los dioses patronos, rodean un gran rostro que emerge como el dios del sol Tonatihu Xihutecuhtli, quien está sediento de sangre y debe ser alimentado con la sangre de los sacrificados. Por ello emerge de su boca una lengua en forma de cuchillo de pedernal. En conjunto, la era de nahui ollin deberá ser destruida por terremotos. Esta es, en general, la descripción de uno de los monumentos más interesantes que finalmente Axayácatl, al parecer, no tuvo oportunidad de ver concluido aun cuando las fuentes escritas digan lo contrario, A menos que se trate de otro "calendario con símbolos" que de momento la arqueología no ha podido descubrir, una nueva polémica surge del contraste entre los resultados que ofrece el estudio de los documentos del siglo XVI y las muestras de arqueología mexica que van apareciendo.

Así pues, en el año 1481 fallece Axayácatl con una fuerte derrota y probablemente como resultado de la fuerte herida que sufrió durante las guerras en Toluca. Esto dio paso a un nuevo tlatoani, al que desafortunadamente la historia no ha dado el mejor de los créditos. El séptimo tlatoani de Tenochtitlan, Tizoc, desviándose de la política impositiva y militarista de sus sucesores, dedicó gran parte de sus esfuerzos a ampliar el gran Templo Mayor. Debemos decir que al final de la historia mexica, en poco más de cien años, el Templo Mayor fue ampliado cerca de doce veces, una de ellas por encargo de Tizoc. Hipotéticamente, cuando crecía el imperio crecía el templo principal, según López Luján.

Los *Anales de Tlatelolco* registran con este gobernante una docena de campañas, algunas dirigidas al actual estado de Guerrero o a la zona de la Mixteca, en Oaxaca. Resalta también el hecho de que durante una gran ceremonia, sin haber obtenido ningún logro militar importante, premió a varios guerreros águila. Y aún más extraño resulta el hecho de que arqueológicamente contemos con un extraordinario monumento que fue descubierto a finales del siglo XIX en la Ciudad de México, muy parecido al de su predecesor Moctezuma Ilhuicamina, la famosa "piedra de Tizoc".

Se trata también de un monumento en el cual aparece Tizoc ataviado como guerrero, sujetando de los cabellos a los dioses patronos de 15 pueblos sometidos por él en sus mandatos. Como sabemos, una de las primeras cosas que debían hacer los tlatoque durante su coronación era llevar a cabo una expedición militar para comprobar su eficacia como generales de las fuerzas mexicas y para obtener cautivos para las fiestas y ceremonias de sacrifico humano. En esta ocasión, la expedición inaugural se dirigió hacia Meztitlan, al oeste de la Huasteca, donde el incompetente tlatoani logró solamente 40 cautivos, según Nigel Davies, para honrar su coronación, y tuvo una pérdida de más de 300 guerreros mexicas. Solo se conocen cinco escasos años de su gobierno al mando del Pueblo del Sol, en los que logró anexar algunos poblados al imperio, como fueron Tuxpan, Tlacotepec o Tlapan, en Guerrero.

Las fuentes describen que, de un momento a otro, Tizoc muere misteriosamente, muy probablemente por alguna conspiración en su contra. Así, dos eran los objetivos de las administraciones pasadas: obtener más pueblos tributarios y, en teoría, tratar de neutralizar la frontera con los tarascos. De esta forma, los pueblos de la entonces Mesoamérica se dieron cuenta de que el invencible ejército mexica tenía algunas épocas de flaqueza, y por ello era necesaria la llegada de un tlatoani que pusiera las cosas en claro y que presentara a los mexicas como los verdaderos hijos del sol. Ese hombre iba a ser Ahuítzotl, *el coyote en el agua*.

PODER Y GLORIA DEL PUEBLO DEL SOL

Ahuitzoltl, hermano menor de Tizoc, fue entronizado en el año 1486, y con este nuevo gobernante el concepto místico de la guerra y el poder hegemónico mexica llegaría a su máximo esplendor. Además, dedicó buena parte de su reinado a los trabajos de obras hidráulicas de su ciudad. Dos son los elementos que caracterizan a este gobierno: la gran cantidad de sacrificios humanos que se celebraron y el renombre que adquirió su dirigente, gracias a las conquistas que realizó.

Su primera campaña de entronización la llevó a cabo en Chiapa, en el Estado de México, donde consolidó un asentamiento militar en zonas como Xiquipilco y Xilotepec, conquista que ya antes había iniciado Axayácatl.

A continuación, describiremos uno de los relatos más macabros e interesantes de la historia mexica. Había llegado el fin de la construcción del gran Templo Mayor de Tenochtitlan y era necesario hacer una grande y fastuosa fiesta de magnitud tal que todos los tributos obtenidos durante un año podrían llegar a gastarse en cuestión de un día. Corre el año de 1487 y los sacerdotes más importantes, los cargos administrativos y los grandes señores de los alrededores, incluyendo los principales de la Excan Tlatoloyan, se han dado cita: el Gran Templo Mayor de Tenochtitlan emerge de la ciudad hacia los cielos, y la blancura de su fachada se entremezcla con los colores azules y rojos de su respectivas capillas dedicadas a Tláloc

El mal llamado Calendario azteca y poco conocido como Piedra del Sol fue una espectacular escultura mexica inconclusa que representa una parte de la cosmovisión de esta civilización.
Museo Nacional de Antropología, México.
Foto de Marco Antonio Pacheco.

en el lado izquierdo y Huiztilopochtli en el derecho. Es precisamente en ambas capillas donde un grupo de seis sacerdotes está preparando la ceremonia. Ahuítzotl mandó colocar metafóricamente la cabeza de Coyolxahuqui y los centzohuinzahuas en el Templo Mayor para rememorar la batalla de Huitzilopochtli en el cerro de la serpiente durante la migración y la victoria sobre la Noche y la Luna. En el Templo Mayor estaba representado el Coatepec o cerro de la serpiente, por ello Tlacaelel, ya muy viejo, le decía a Ahuizotl: "Encima del Coatépetl habéis de ser visto por todos". Para esta ocasión, los sacerdotes sacrificadores están vestidos especialmente como Topoltzin, para honrar a su dios Huitzilopochtli: llevan una manta roja con flecos verdes y amarillos en la cabeza, unas orejeras de oro y piedra verde y en el labio, un bezote de color azul. Han pintado su cuerpo de tizne elaborado con el hollín de bichos y plantas. Y hasta el mismo tlatoani se ha preparado también para sacrificar y actuar en los ritos que en seguida se avecinarían, se había preparado la matanza de entre 10.000 y 80.000 cautivos para el sacrificio, aspecto que sin duda se exagera en las fuentes y que, según dichas narraciones, duró todo el día y toda la noche.

Para conmemorar este holocausto y, sobre todo, el haber concluido el gran Templo Mayor de Tenochtitlan, Ahuítzotl mando esculpir una gran piedra, conocida como la Piedra de la Dedicación, hoy expuesta en la sala mexica del Museo Nacional de Antropología de México. El relieve marca el año de 8 caña, es decir, el año de 1487, fecha en que se realizó la consagración, y en la parte superior del relieve se ve del lado izquierdo al tlatoani Tízoc, quien inicia los trabajos que culminó su sucesor, Ahuitzotl, que aparece representado en el lado derecho de este monumento. Entre ambos personajes se encuentra una bola de heno en la cual se insertaron unas espinas de hueso relacionadas directamente con el sacrificio humano, coronadas por la fecha 7 caña, relativa al día en que se llevó a cabo la consagración.

Una primera campaña contra los tarascos como un segundo intento de dominar la frontera culminó en un fracaso que sin embargo no debilitó a este tlatoani como al anterior, pero sí logró someter algunas plazas importantes en el límite fronterizo, como son Teloloapan, Oztoma y Alhuiztlán, desde donde establecería una clara línea de defensa del imperio. De ello nuevamente da cuenta la arqueología, ya que aún perviven los restos de la fortaleza construida en Oztuma, precisamente sobre el cerro que lleva el mismo nombre.

En el año 1579, en esta misma región conquistada por Ahuitzotl, fue localizado el monumento comentado.

El puesto defensivo, que no solamente era una fortaleza sino que a ojos de Pedro Armillas también fue un sistema defensivo que se extendía desde el río Balsas hasta los límites del estado de México. La fortaleza estaba construida, sobre todo, con lajas de piedra sin aparejar, bien dispuestas para que no cayeran. Cerca de ella, se encuentran algunos muros más de piedra, como el denominado de La Malinche. Es difícil acceder a la zona del cerro de La Malinche donde se encontraron diversos fosos, así como algunos parapetos de piedra para su defensa, de manera que esta fortaleza estaba enclavada en una zona de difícil acceso para el ejército tarasco.

Para Ahuitzotl representaba un sitio de gran importancia estratégica, militar y económica, pues como afirma Armillas, por esta zona llegaban tributos de una amplia área en el límite del imperio, hablamos de lugares como Atlapulco, Malinalco, Zumpahuacan Teticpac y Teloloapan, entre otros. Se ha mencionado que cada ochenta días se solicitaban a estas ricas regiones cuatrocientas cargas de cacao, diez cargas de mantas y otras cargas de ropa de mujer, frutas y comida. Todavía es una zona con gran importancia en la producción minera.

Continuando nuestra historia, podemos decir que con este Huey Tlatoani las fronteras del imperio se extendieron al doble de las dejadas por sus antecesores. Resulta interesante que los mismos tarascos, pese a que sabían de su poderío militar frente al ejército mexica, nunca se aventuraron a continuar las conquistas y quizá a tratar de someter al poderoso imperio mexica. Si hubieran contemplado esto los calzonzi (gobernante tarasco) quizá habríamos podido narrar otra historia en estas líneas, pero como bien afirma Nugel Davies, los señores tarascos prefirieron dormirse en los laureles.

Por su parte, Ahuitzotl dio muchas oportunidades a las gentes de la cuenca de México, entre ellos a los xiochimilcas y los texcocanos para que se establecieran en la zona fronteriza y así, de alguna manera, poder colonizar la región.

Las conquistas de Ahuitzotl, finalmente, cerraron el mapa de la actual república mexicana en ambas costas al llegar a Guerrero hacia el Pacífico y dominar una extensa región hasta sitios hoy tan importantes turísticamente como Acapulco e Ixtapan Zihuatanejo. Después de ello, el avance de los ejércitos mexicas se dirigiría aun más lejos, aventurándose ahora hacia el sur, hacia el Soconusco, en las fronteras con Guatemala, a unos 1.100 kilómetros de Tenochtitlan.

Antes de ello ya contaban con algunos logros importantes en la región oaxaqueña, lo que le permitió conseguir avances más claros hacia Tehuantepec, y finalmente al Soconusco maya.

Antes de ello, Tehuantepec solo fungía como una provincia que apoyaba al imperio para recaudar impuestos, pero ahora había sido realmente conquistada y los bienes tan preciados del sur, como eran la plumería, serían integrados en gran forma a la tributación constante que llegaba al imperio. Nunca antes habían crecido tanto el poder y gloria de un pueblo mesoamericano. En cierta forma, algunos comparan la extensión cultural con la antigua Teotihuacan, pero nunca

El gobernante Tízoc aparece en este monumento como un victorioso gobernante sometiendo al dios patrono de la ciudad de Xochimilco. Museo Nacional de Antropología, México. Foto Marco Antonio Pacheco.

bajo la verdadera fuerza militar, como habían pretendido los mexicas.

Una de las últimas batallas libradas por Ahuitzotl fue la de Xaltepec, que formaría parte de la expansión hacia el Soconusco y la zona maya.

El resultado de todo esto fue una innumerable cantidad de tributos. Tenochtitlan era, en ese entonces, una capital poderosa, con mucha riqueza económica que finalmente se había transformado en lo que alguna vez Huitzilopochtli había predicho en el año 1111, cuando salieron de Aztlan. En ese momento, año 1490 aproximadamente, eran realmente los amos y señores de una buena parte de Mesoamérica. Esta era la gloria del Pueblo del Sol, el pueblo de Huitzilopochtli, los señores de águila. Tenochtitlan, el humilde poblado, se había transformado en el verdadero centro del universo, en el ombligo del mundo.

Gran parte de esta empresa militar también permitió a Ahuitzotl crear un gran dique que rodeaba buena parte de la ciudad de Tenochtitlan para impedir las inundaciones. Debemos recordar que el agua llegaba a Tenochtitlan desde Chultepec. Sin embargo, sus consejeros recomendaron traer nuevos afluentes desde los manantiales del Acuecuéxcatl y otros cuatro más. Así, en el año 1499 se construyó un acueducto para el cual se elaboró un interesante monumento escultórico que aún conservamos.

Iconográficamente, en la pieza vemos a un personaje principal. Es Ahuitzotl, y está representado con los atributos de diversos dioses, entre ellos Tláloc y Tezcatlipoca. Aparece el año

7 caña en relación con el año en que se construyó este acueducto.

Pese a ello, resalta el hecho de que el intento de este gobernante de llevar las aguas de Coyoacán a la ciudad resultó ser una mala gestión hidráulica: todo concluyó con una grave inundación en Tenochtitlan. El desastre trajo consigo el empleo de una buena cantidad de recursos del estado mexica y una cantidad considerable de trabajadores para reparar el error.

Las nuevas conquistas también abrieron el camino para un intercambio cultural de gran potencialidad. Las rutas comerciales se extendieron, y los pochtecas traían cada vez más objetos de lujo, piedras verdes, turquesas, plumas preciosas, algodones, productos marinos de las costas del Pacífico y del Golfo de México, alimentos de todo tipo, que cada día enriquecían las más fastuosas ceremonias rituales para sus dioses, materialmente ejemplificadas en las actuales ofrendas encontradas en el recinto sagrado del Templo Mayor.

Los pochtecas o comerciantes, además de abrir el intercambio comercial, servían como avanzada al ejército, ya que también iban armados y en caso de que alguien se negara a hacer algún intercambio o se atreviera a matar a algún mercader comenzaba la reyerta, en la que eran apoyados por el ejército.

Existían diversos tipos de comerciantes. Uno de ellos era llamado nahualoztomeca, el cual tenía el cometido de infiltrarse en los pueblos enemigos como uno más de ellos para conocer su situación y llevar información a la avanzada del ejército mexica. También era una especie de avanzada del grupo pochteca que se acercaba.

Así como habría sucedido en las conquistas de Alejandro Magno hacia la India, al ejército mexica cada vez le costaban más los avances al estar tan alejados de sus familias, hogares y de la misma Tenochtitlan. Cuentan las crónicas que en algún momento durante las batallas con Tehuantepec los soldados mexicas saqueaban con desdén las ciudades, ya que era este su único consuelo a las empresas cada día más lejanas de su hogares con una paga que en especie no les garantizaba el pago de su esfuerzo. Debemos recordar que cada día los ejércitos mexicas podían llegar a movilizarse diariamente 20 kilómetros, y no contaban con animales de carga, por lo que las penalidades eran aún más difíciles que las de los ejércitos del viejo mundo.

Se dice que alguna vez les sugirieron a Ahuitzotl conquistar Guatemala, pero su ejército agotado sin ningún tipo de incentivo vio que eso sería solo posible en el futuro. Futuro posible que en realidad, nunca pudo alcanzar.

Ahuitzotl fallece en 1502 como uno de los más grandes gobernantes que tuviera el México antiguo, como prueban los recientes hallazgos del Programa de Arqueología Urbana y del Proyecto Templo Mayor en la Ciudad de México. Durante los trabajos de exploración en una de las últimas etapas constructivas de este recinto fue encontrada una inmensa lápida, prácticamente la escultura en relieve mexica más grande hasta ahora conocida, aún más que la Piedra del Sol o la

Coyolxauqhi, con más de 4 metros de altura, que representa a la diosa Tlaltecuhtli con su postura característica, con las garras y los motivos relacionados con el inframundo y la tierra entre los que destaca, sobre todo, un gran chorro de sangre que emerge de su boca. Resalta el hecho de que los documentos escritos argumentan que los restos incinerados de Ahuitzotl fueron enterrados al pie del Templo Mayor, precisamente en el lugar del hallazgo de este impresionante monolito de 4 metros de diámetro y 12,5 toneladas de peso, lo que hace pensar a investigadores como el doctor Eduardo Matos que debajo de esta lápida podrían encontrarse los restos de este gobernante, ya que una de las fechas calendáricas de la muerte del tlatoani aparece inscrita en la lápida mortuoria y solo los nuevos estudios podrán determinar lo que al parecer podría tratarse de un hallazgo muy importante para la historia y arqueología mexica del siglo XXI.

Con la muerte de Ahuítzotl solo restaría esperar que un aguerrido comandante de las fuerzas mexicas subiera al trono, pero a diferencia de sus antecesores, a este le tocaría vivir en carne propia la llegada de los dioses a México Tenochtitlan, con el gran Huehe Moctezuma.

Moctezuma Xocoyotzin o Moctezuma II fue heredero de una gran ciudad y llevaría sobre su espalda el gran peso de sostener y acrecentar el gran imperio que ya sus antecesores habían logrado levantar. Esto significaba apagar las constantes revueltas de los pueblos sometidos, conquistar aquellos que hubiesen quedado pendientes, reconquistar aquellos que se hubieran sublevado y, de ser posible, ampliar aún más el territorio. Pero quizá era el momento de estabilizar y conservar lo antes logrado. Dado que Moctezuma formaba parte del ejército de Ahuitzoltl como tlacatecatl, y considerando que ninguno de los hermanos del último tlatoani habían sobrevivido, parecía justo y lógico que gracias al cihuacóatl y a Nezahualpilli, señor de Texcoco, se formalizara la entronización de este nuevo señor.

A sus 34 años estaba preparado para asumir tal empresa, y eso que la ciudad no era ya la simple aldea que se veía en los tiempos de Acamapichtli.

México Tenochtitlan estaba en la cumbre en este momento. Estimado lector, te invito por un momento a recorrer las calles de una ciudad que a ojos de los españoles, que llegarían casi 20 años después, era una de las más bellas y grandes ciudades, quizá más que Constantinopla, como alguna vez dijeron.

Contaba con cerca de 13,5 kilómetros de longitud y con cerca de 200.000 habitantes. Solamente ha podido recuperarse aproximadamente el 30% de ella, hasta el momento... Imaginemos un traslado en el tiempo hasta la Tenochtitlan de Moctezuma II. De vez en cuando daremos un salto al presente para ver qué parte de todo lo que estamos viendo ha llegado hasta nuestros días. Casi a nuestra llegada, distinguimos desde lo lejos el centro ceremonial, por la coronación de las dos capillas que se elevan en lo alto del gran Templo Mayor, cuya dirección la ubicamos hacia el oeste.

Esta estructura, para ese entonces, ya había sido ampliada por lo menos seis veces sobre una plataforma de cerca de 500 metros por lado, en la se levantaba todo el centro ceremonial en conjunto con otros edificios públicos y religiosos importantes. Cada vez que se celebraba la entronización de un gobernante se mandaba reconstruir sobre el templo anterior uno nuevo, algo parecido a las muñecas rusas. De este modo, cada templo estaría recubierto por uno mayor. Antes de dicha ampliación, los mexicas llevaban a cabo grandes fiestas, que incluían macabras ceremonias de sacrifico humano. Después de ello se introducían grandes ofrendas, que más tarde serían enterradas junto con toda la fachada del monumento, sobre la cual se construía una más grande.

El Templo Mayor representaría materialmente el centro del universo, y a través de sus cuerpos escalonados se ascendería a los cielos, hasta llegar a lo más alto en las capillas de sus dioses patronos. Por el contrario, también se accedería al inframundo a partir de la plataforma que representaría la parte terrestre de la cosmovisión mexica y también desde allí partirían los cuatro rumbos del universo, en cierta forma representados por las cuatro calzadas que salían desde las afueras del centro ceremonial: al norte, saliendo de Tlatelolco, la de Tepeyac; al sur, Iztapaplapa y Coyoacán; en una calzada doble al oeste, hacia Tacuba, y al este, una avenida de no muchas dimensiones comparada con las anteriores.

Cuatro cuerpos escalonados conformarían el templo mayor. Estos estarían rematados por dos grandes capillas cerradas del lado derecho. Una de ellas estaría dedicada a Huitzilopochtli, señor de la guerra. Esta tenía en su interior una piedra rectangular incrustada en el suelo que permitiría llevar a cabo los sacrificios frente a la imagen de Huitzilopochtli. Esta ceremonia se celebraba con las semillas de un alimento muy común en México, que actualmente sirve para crear un dulce conocido como amaranto. La fachada de la capilla estaría decorada con colores rojos, alusivos a la sangre y el sacrificio, y rematados con clavos arquitectónicos de piedra con la representación de cráneos humanos, muchos de los cuales aún se conservan arqueológicamente. Del lado izquierdo encontraríamos la capilla dedicada a Tláloc, señor de la lluvia, decorada, como era de esperar, con colores azules, verdes y blancos, así como con bellos murales con la representación de cuentas circulares de jade, llamados chalchihuites, cuya imagen representa las gotas de lluvia, la abundancia y la riqueza, en este caso, agrícola. A diferencia de la capilla de Huitzilopochtli, la de Tláloc estaría engalanada con la imagen de un personaje por todos conocido, un individuo recostado que sujeta en su abdomen un pequeño recipiente en el que depositar las ofrendas de los sacrificados. Nos referimos al chac mool, cuya representación tenemos en la etapa II del Templo Mayor de Tenochtitlan, y que seguramente en las etapas posteriores continuó elaborándose bajo estilos mucho más trabajados y delicados para tiempos de Moctezuma Xocoyotzin. Recordemos que para este entonces el arte azteca también se encontraba en su mejor momento.

Construido con rocas volcánicas de tezontle, todas las paredes principales de los edificios de la ciudad cuentan con una cubierta de cal y arena de color blanco, conocido como estuco, sobre el cual se elaboraban bellas pinturas murales de motivos mitológicos, de las cuales, desafortunadamente, apenas conservamos algunas. Las escaleras de los templos estaban elaboradas con rocas más suaves, de color rosa, llamadas andesitas, que también serían recubiertas con este estuco. De esta manera, Tenochtitlan se transformaría, efectivamente, en la recreación material del lugar mítico, Aztlan, el lugar de la blancura.

En los costados del Templo Mayor, los señores de Tenochtitlan construyeron dos grandes recintos que serían, entre otras cosas, los máximos exponentes de la fuerza militar y el motor fundamental de las conquistas. Los recintos, respectivamente, de los guerreros jaguares hacia el sur y los guerreros águila al norte. Nuevamente, el cosmos estaría materialmente representado en la ciudad, la dualidad Sol-Luna, hombre-mujer, luz-oscuridad, águila-jaguar estaría representada en estos dos emblemáticos recintos.

Uno de los recintos, en forma de ele, estaba elaborado con rocas de tipo volcánico recubiertas con estuco. La escalera de acceso al recinto estaba ubicada hacia la parte norte del edificio, flanqueada por dos cabezas de águila que remataban un elemento arquitectónico propio de este pueblo, la llamada moldura en forma de moño.

Una de las pocas aportaciones arquitectónicas mexicas a la antigua Mesoamérica, ¡vaya paradoja para un poderoso pueblo imperial! Ya vemos que entre los mexicas no todo es oro. Al entrar en el recinto, que estaría totalmente cerrado, nos enfrentaríamos con la imagen de dos guerreros águila con las manos hacia el frente, acompañados de dos dioses de la muerte, personajes semi descarnados que también llevaban las manos hacia el frente a modo de ataque. Al fijarnos, nos damos cuenta de que no son necesariamente guardianes, sino que se trata de cuatro esculturas de barro de tamaño natural recubiertas también de estuco que simulan hacer guardia en la primera sala del edificio. Se encuentran paradas, sobre una banqueta decorada con bellos colores, en la que están talladas las imágenes de guerreros armados con lanzas, en procesión, dirigiéndose hacia un zacatapalloli o bola de heno para depositar allí las puntas de espina de maguey que han utilizado en sus rituales de autosacrifico.

En la parte occidental del Templo Mayor en lo que ahora es el palacio nacional se levantaría el palacio de Moctezuma, que ha sido excavado recientemente por investigadores del Instituto Nacional de Antropología e Historia (INAH).

Dentro de este palacio, Moctezuma recibía a toda su corte. Se afirma que había que entrar descalzo en la gran sala donde se encontraba el Huey Tlatoani, con los ojos bajos, puestos en la tierra, sin mirarlo a la cara, y haciendo tres reverencias y diciendo: "Señor, mi gran Señor". (Bernal Díaz del Castillo, *Historia de la conquista de la*

Nueva España). Utilizaban vajillas policromadas, conocidas como cerámica cholulteca, de colores anaranjado y amarillo recubierto de bellos diseños en negro y blanco. En ellos se presentaban ricos manjares.

Por lo menos podíamos encontrar unos 78 edificios más a lo largo y ancho de la gran plaza. Muy cerca del recinto de las águilas hay tres pequeños edificios más, algunos dedicados a dioses de la música. Otro llama nuestra atención, ya que su fachada está recubierta de cráneos humanos esculpidos, haciendo alusión a uno de los más afamados y macabros monumentos al sacrifico humano que, como ya vimos, también fue utilizado desde tiempos toltecas: el Tzompantli, una estructura de madera en la cual se insertaban los cráneos de los sacrificados. En este caso el monumento solo representaría una versión en piedra.

También podemos admirar una pequeña estructura pintada de color rojo que se asemeja mucho a lo que en alguna época se construyó en Teotihuacan. Se trata de una reconstrucción mexica de un edificio de tipo teotihuacano, cuyos rasgos estilísticos, sin duda, impusieron los mexicas como moda en aquel entonces y que permiten también la legitimación con su más lejano y glorioso pasado.

Exactamente enfrente del Templo Mayor se desprendería un recinto de forma redonda, hecho para que en su interior circulara libremente el viento; es decir, estaba consagrado al dios del viento, Ehécatl Quetzalcóatl.

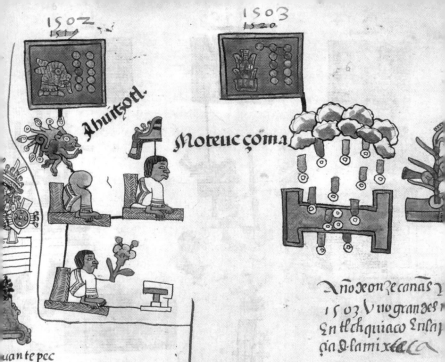

1502
1519

1503
1520

Ahuitzotl

Moteuc çoma

uan te pec

Año xon ze cañas y
1503 v uo gran des ...
En tlchquiaco Enla ...
çia 9 lami x ...

a hi ja 9 monteçima 9 pues
tuvo hi jos 9el señor 9ete
nte pec Aviso A sumri do
su padre no se la avia 9a9o
para tener Amista9 con el
ner lugar pa entrar Enla ti
y su jep tar los lo qual como
ipo pro vey o quenoslen tro mas
icano En su tierra has que vi
on los cristianos que la su jep
n

Año 9e diese con e jos
y 9e mill quinientos
y 9os. murio Ahui
tol y eli jeron por
señor. A montecu
ma El que hallo el
marques quando vi
no A la tie ff a

Por aquel entonces, la vida en Tenochtitlan era bastante dinámica, como ocurre en la actual Ciudad de México. En los alrededores del centro ceremonial se encontraba la zona residencial, donde los campesinos disponían sus hogares en hileras muy juntas cerca de los canales del lago Texcoco. Las casas de los macehualtin se construían con bloques de adobe o lodo compacto y las cubiertas estaban hechas con paja. Dentro de ellas, prácticamente en una gran habitación, es donde se desarrollaba la vida de sus habitantes: pequeños hogares al centro para preparar los alimentos, algunos petates para que los niños y la señora pudieran descansar. Cerca de los fogones, seguramente se encontraba toda la vajilla de cerámica de color anaranjado y decorada con sencillos motivos de color negro: platos, cajetes con fondo, cuencos, y ollas conformarían los instrumentos donde diariamente la gente se alimentaba. Este tipo de villa, llamada Azteca III, ha sido considerada dentro del mundo arqueológico como un indicador de la presencia azteca en toda Mesoamérica.

Tenochtitlan se podía comparar con una Venecia del mundo precolombino, ya que sus carreteras realmente circulaban por el agua, pequeños embarcaderos se llenaban de multitud de canoas repletas de productos de todo tipo para

En esta página del *Códice Telleriano Remensis* se narra la muerte del rey Ahuítzotl y la sucesión al gobierno mexica de Moctezuma II en el año 1502.
Códice Telleriano Remensis, lámina 41

cubrir las extensas calles del mercado de Tlatelolco, donde se daban cita cerca de sesenta mil personas. Así como en los actuales tianguis mexicanos, en la antigua Tenochtitlan se oía el grito de muchos de los pochtecas que vendían sus productos, intercambiando mantas por alimentos, cerámica, productos acabados de alta calidad o cestería, entre muchos más.

Imaginemos cómo, muy de mañana, en Tenochtitlan se oye el retumbar de un gran tambor que da la pauta para comenzar algunos rituales en honor del dios Ehécatl Quetzalcóatl.

Recubierta de hermosos murales y decorada con diversos monumentos escultóricos, la Tenochtitlan de Moctezuma Xocoyotzin del año 1504 al 1519 se levantaba como una de las grandes ciudades de Mesoamérica, prueba de ello es el reciente monolito de 3,50 metros de largo descubierto en la etapa 7 del Templo Mayor, que representa una gran escultura en piedra del dios de la lluvia, Tláloc. Este hallazgo arqueológico desmiente la información de las fuentes que dice que Moctezuma no amplió las etapas constructivas de este importante templo.

Esta es, pues, la ciudad que habrían dejado al nuevo señor y quizá el más famoso de los tlatoque mexicas, Moctezuma Xocoyotzin. Quizá sea por cargar sobre sus lomos con el peso de haberse enfrentado al final no solo de su ciudad y de una civilización, sino de prácticamente miles de años de cultura mesoamericana, que finalmente es representada por el mundo mexica de aquel momento. Hay autores como Michael

Graulich, quien en algunos tratados defiende la postura de Moctezuma ante los conquistadores por tratar de defender a su modo a la ciudad de Tenochtitlan, y otros que solamente lo tildan de cobarde ante la amenaza blanca del viejo mundo.

El grado de riqueza y poder que había alcanzado Tenochtitlan para cuando Moctezuma llegó al trono era tal que la magnificencia de su coronación se vio vanagloriada con una serie de regalos y presentes que decidió brindar a todos los asistentes, incluyendo a los gobernantes de otros señoríos.

Realmente la intención de Moctezuma no fue precisamente ampliar las conquistas de su predecesor, sino estabilizar la situación de un imperio que, de por sí, ya era bastante grande. Por ello, una buena parte de este proceso de consolidación se basó en hacer algunas pequeñas conquistas en Oxaca, donde sus predecesores habían dejado algunos huecos, como es el caso de Yanhuitlan, Tlaxiaco, y Xaltepec.

Otro de sus principales objetivos fue tratar de absorber a aquellos reinos que, de manera independiente, se encontraban dentro de las zonas conquistadas. Entre ellos, Tlaxcala era su principal meta, además de otros señoríos que realmente nunca fueron conquistados, como Tototepec, ubicado en el oriente del actual estado de Guerrero. En ese sentido, únicamente logró limitar aún más las fronteras de Tototecec con respecto a las zonas conquistadas de los mexicas.

Tradicionalmente se ha dicho que todos los tlatoque mexica decidieron dejar a Tlaxcala "independiente" por el hecho de mantener una reserva continua de prisioneros para las constantes ceremonias de sacrifico humano; es decir, donde poder mantener guerras rituales que no acabaran por destruir totalmente el señorío sino que solo permitieran que sus guerreros se mantuvieran en forma. Para autores como Ross Hassig, realmente veían en Tlaxacala un verdadero enemigo duro de pelar, por tanto era mejor mantener esta especie de política "diplomática" en la cual nunca se llegaba a una verdadera guerra, que por otro lado los mexicas quizá sabían que nunca ganarían, y por tanto se mantenía una situación de constante sitiaje del señorío tlaxcalteca. El mejor pretexto sería la captura de prisioneros para el sacrificio.

Pese a ello, Moctezuma decide acabar de una vez con todo esto y trata obsesivamente de habilitar guerras totales contra los tlaxcatltecas con el afán final de integrarlos al imperio mexica. Se habían convertido, además de los tarascos, en uno de sus peores dolores de cabeza.

Señalan las fuentes que en el año 1504 el pretexto para enviar tropas al señorío de Tlaxacala fueron los conflictos que se desprendieron entre Huexotzingo y la misma Tlaxacala, en los que intervino Tenochtitlan como supuesto defensor de Huexotzingo. La primera campaña fue un fracaso, y ello dio lugar a que Tlaxacala atacara con toda sus fuerzas a Huexotzingo, lo que proporcionó a Tenochtitlan la excusa perfecta para llevar a cabo una segunda empresa militar, que nuevamente fracasó y se tradujo en una ininterrumpida tregua entre Tenochtitlan y Tlaxacala. Esta paz permitió finalmente regresar a las "guerras rituales", aspecto que a actualmente mantiene en polémica a los especialistas del mundo mexica, de lo que hablaremos en las páginas siguientes.

Otro aspecto que distingue al noveno señor de Tenochtitlan es que antes de ser el gran tlatoani había tenido la investidura de tlacatecatl como capitán general de los ejércitos mexicas; pero sobre todo se había distinguido como sumo sacerdote de Tenochtitlan, lo que incluye su consideración como intelectual y escritor. Así, estaríamos hablando de un gobernante completo, algo así como un Marco Aurelio del mundo mesoamericano. Su ceremonia de coronación fue una de los más solemnes en la historia mexica, pues mandó traer de los Clamecac a los jóvenes más destacados, quienes en algún momento también fueron sus alumnos, para integrarlos en su gabinete, y a quienes, de vez en cuando, seguía dando instrucción académica en su palacio.

Esta idea vanguardista y en cierta forma intelectual lleva a Moctezuma II a iniciar un cambio en las políticas expansionistas de la capital mexica. Ya no eran solo las armas y la mística guerrera lo más importante, sino que comenzaba a consolidarse una ideología más humanista, que seguramente estaba muy influenciada por las ideas de su homólogo en Texcoco. Pese a ello, la guerra seguía imperando en la mentalidad del tlatoani.

En ese aspecto, el poder de las armas tal y como se había manifestado en el reinado de Ahuítzotl estaba dejándose de lado, y Moctezuma contemplaba una estrategia imperial más administra-

tiva. Al igual que los otros tlatoque, Moctezuma
Xocoyaotzin mandó esculpir su efigie en el cerro
de Chapultepec, quizá como una última forma
sobrevivir a lo que en breve le vendría encima.

Muy cerca del afamado Castillo de Chapultepec, en la Ciudad de México, existe un peñasco
en el que el gran señor de Tenochtitlan mandó
erigir su efigie. Representado en el *Códice Durán,* se aprecia el momento en que sus siervos
esculpen a Moctezuma con una capa y su antro-
pónimo a un costado, "[…]para que viendo allí
nuestra figura se acuerden nuestros hijos y nietos
de nuestros grandes hechos y se esfuercen en
imitarnos" (Fray Diego Durán, *Historia de las
Indias de Nueva España e Islas de Tierra Firme*),
afirma su deseo de realizar tan importante obra.

Este relieve estudiado por Henry B. Nichol-
son y publicado en un interesante artículo es el
fiel reflejo del deseo de Moctezuma por preser-
var la memoria histórica de lo que en un futuro
sería su aportación a la historia de la nación
mexicana. El Pueblo del Sol estaba en su apogeo,
y algo iba a cambiar el destino de la historia
misma de todo un continente.

LA LLEGADA DE
LOS DIOSES

4

Señales funestas

De 1502 a 1517, la vida en Tenochtitlan corría con tranquilidad, y el señor Moctezuma pudo disfrutar de sus jardines palaciegos hasta que una serie de rumores atrajeron su atención, que poco a poco fue convirtiéndose en una obsesión.

Esta obsesión se inició con una serie de acontecimientos fuera de lo común. Algo estaba a punto de acontecer, y el señor de Tenochtitlan tenía que tomar las riendas del problema que se avecinaba.

Nuevamente, como en los tiempos de la migración, la historia y el mito se entremezclan para dar cabida a una serie de acontecimientos que reclamaron inmediatamente la atención del gran Moctezuma. Estos acontecimientos, que inicialmente eran percibidos por el pueblo, después fueron hechos propios del tlatoani.

En una ocasión, el cielo se había llenado de color rojo. Una especie de rayo de fuego había surcado los cielos de la ciudad de Tenochtitlan. Decían que el rayo había pinchado el cielo, y por eso este se teñía de rojo.

El pueblo estaba tranquilo cuando alguien, a lo lejos, comenzó a gritar: "¡Mexicanos, venid deprisa: se apagará, traed vuestros cántaros!" El templo Mayor de Tenochtitlan estaba ardiendo por causas sobrenaturales. Cuanta más agua le echaban, más ardía el templo principal de los mexicas.

El templo de Xihutecutli había recibido un fuerte rayo que solamente había destellado en los patios de la ciudad, pero sin que se hubiera escuchado trueno alguno.

Las mujeres se encontraban cocinando dentro de sus casas. Uno de los jóvenes telpochtlis corrió para avisar a su madre de que el agua de los lagos estaba inundando su casa. Por el otro lado, otro joven advertía de que había visto cómo el agua del lago estaba hirviendo, se había salido de su cauce y había inundado algunas casas.

Parecía que, poco a poco, todo comenzaba a volver a la normalidad en Tenochtitlan. La gente no sabía qué había pasado, y Moctezuma se mostraba cada vez más preocupado. Todos los días, alguien llegaba para contarle sucesos extraños y solicitaban la ayuda del estado mexica. Hasta los guerreros se encontraban un poco asustados; sin embargo, esa noche Tenochtitlan había dormido tranquilo, o quizá eso pensaban, pues cerca de las casas se escuchó un quejido espeluznante: una mujer, llorando, gritaba por las calles: "¡Hijitos míos, pues ya tenemos que irnos lejos! ¡Hijitos ¿adónde os llevaré!". Era una mujer que lloraba por sus hijos. Hay quien piensa que este es uno de los antecedentes del famoso personaje de las tinieblas de época colonial en la Ciudad de México al que se denominó La Llorona, aunque realmente tiene otros fundamentos también prehispánicos de época mexica, que después conoceremos. Este fue otro de los presagios funestos que se vivieron en Tenochtitlan.

Los presagios ya no solo llegaron a oídos de Moctezuma, sino que él mismo llegó a presenciar algunos de ellos. En una ocasión, unos pescadores creyeron capturar en el lago una especie de grulla entre sus redes. Por lo extraño que parecía, consideraron pertinente mostrársela a Moctezuma en la casa de lo Negro, la casa de estudios mágicos, para que diera su opinión. Lo que les parecía más extraño era que ese pájaro tuviera una especie de objeto circular brillante en su mollera, como si fuera un espejo. Cuando Moctezuma revisó la mollera de este pájaro cenizo, de pronto una visión se reflejó en el "espejo": eran las estrellas. Se podía observar el cielo desde el espejo. Moctezuma, perplejo, no creía lo que estaba viendo, y apartó la vista. Cuando volvió a mirar, la visión había cambiado; se veía a una serie de personas que corrían y que se trasladaban como en una especie de ciervos que estaban dispuestos para hacer la guerra. Cuando Moctezuma pidió a sus sabios que vieran lo que él veía y explicaran el hecho, ya nada se veía.

Otras veces, la gente del pueblo capturaba seres extraños, hombres con dos cabezas que llevaban ante Moctezuma para obtener una explicación, y cuando esto sucedía, antes de que el Huey Tlatoani los viese, desparecían.

Todo esto es lo que las fuentes indican que comenzó a suceder diez años antes de la llegada de los forasteros europeos.

En el año 1517, Francisco Hernández de Córdoba había zarpado desde Cuba a tierras meso-americanas, hasta la costa de Yucatán. En ella se había enfrentado a las huestes mayas en Potochtan. Estas son algunas de las primeras palabras de los conquistadores españoles acerca de los indígenas: "Vinieron por la costa muchos escuadrones de indios del pueblo de Potonchan , que así se dice, con sus armas de algodón que les daba a la rodilla y arcos y flechas, y lanzas y rodelas, y espadas que parecen de a dos manos, y hondas y piedras, y con sus penachos, de los que ellos suelen usar...". (Bernal Díaz del Castillo.) Muy seguramente, esta noticia llegó a oídos del señor de Tenochtitlan.

Un año después, la expedición de Juan de Grijalva llegaría a las costas de Veracruz ,y alguno de los vasallos del gran Moctezuma, un macehual de la tierra de Mictlancuahiutla muy escondido entre las malezas de la selva, obser-vaba atónito con sus ojos un gran cerro que flotaba en el mar de un lado a otro y que no llegaba a las costas.

La serie de señales funestas habían hecho que Moctezuma se pusiera un poco nervioso, y los acontecimientos que de oídas le llegaban sobre la llegada de una serie de extraños en las costas de su imperio le daba dolor de cabeza. ¿Qué era lo que estaba pasando? ¿Qué era lo que el destino y los dioses le habían preparado a este señor mexica? ¿Era acaso que finalmente Quetzalcóatl había vuelto?

Recordemos esta historia:

Hace muchos años, en tiempos toltecas, el gran sacerdote Quetzalcóatl se había consagrado en cuerpo y alma a enaltecer la capital de los señores toltecas. Pero por una serie de estratagemas, los sacerdotes de Tezcatlipoca hicieron que Quetzalcóatl partiera hacia el oriente, prometiendo regresar en una fecha que extrañamente coincidía con la llegada de estos forasteros.

Por esta serie de coincidencias, el gran Moctezuma convocó a sus magos y sabios para que le explicaran todo lo que estaba aconteciendo, pero nadie pudo dar una explicación concreta. De pronto, un joven macehual aparece agitado y cansado entre la multitud, , y grita: "¡Señor y rey nuestro, perdóname mi atrevimiento! Llegué a las orillas de la mar grande y vi un cerro que se movía entre las aguas de la costa, y sobre él una serie de individuos posados sobre unos grandes ciervos. Tienen sus carnes blancas, más que las nuestras, y llevan las barbas y el cabello que hasta las orejas les da". Se dice que este hombre, este macehual no tenía orejas, y los dedos de sus pies estaban cortados.

En seguida, con una gran angustia, Moctezuma hizo llamar a una serie de sacerdotes y artistas para que fabricaran una serie de joyas, ornamentos, objetos de piedra, oro y plumería, de las aves más supremas que se tenían en Tenochtitlan, seguramente traídas de la zona maya por medio del tributo.

Así, ordenó a uno de sus principales mayordomos que diera al grupo de mensajeros (que iría a las costas a supervisar la llegada de los extraños) una serie de cargas con presentes, mantas, alimentos y diversas riquezas de las cortes mexicas para que las entregasen a los forasteros.¿Qué es lo que esperaba en las costas a estos mensajeros de Moctezuma?

¡Ha llegado Quetzalcóatl!

Corría el año 1519, y Moctezuma creía que finalmente la tradición y sus códices estaban en lo cierto; lo que se avecinaba por la costa indicaba que realmente había llegado Quetzalcóatl, "¡Nuestro príncipe!", decía, y era menester recibirlo como se merecía. Pero la realidad era otra, a quien estaba a punto de recibir era ni más ni menos que a las huestes españolas convocadas por el capitán Hernán Cortés, oriundo de un pequeño pueblecillo español de Extremadura llamado Medellín, lugar donde actualmente se puede encontrar un monumento con una escultura suya. Desde Cuba, había recibido de la mano del gobernador Diego de Velázquez el nombramiento de capitán de una expedición hacia un país desconocido. Un joven de 34 años con conocimientos de Derecho, Administración agrícola, Ganadería, y algunos conocimientos muy claros del oficio de las armas.

Sin embargo, los mensajeros de Moctezuma eran conscientes de que debían hacer solemnes reverencias y, sobre todo, presentar el gran tesoro de Quetzacóatl que tan celosamente habían conservado los anteriores señores de Tenochtitlan, precisamente para este momento, la llegada de su príncipe: este tesoro incluía, entre otras cosas, una máscara de serpiente de turquesas, un travesaño para el pecho hecho de plumas de quetzal, ajorcas de piedras verdes y jades, llamadas chalchihuites, un lanza dardos guarnecido de turquesas, unas sandalias de obsidiana…También incluía el atavío de Tezcatlipoca y, sobre todo, el de Quetzalcóatl, con el mal denominado penacho de Moctezuma, que más que suyo, era el que, en ceremonias especiales, se colocaba sobre una efigie de Quetzalcóatl. Nos referimos al afamado penacho que sabemos que se encuentra en Viena (Austria), y del que contamos con una reproducción en el Museo Nacional de Antropología de México.

Cabe destacar que muchos de estos objetos que Moctezuma entrega a Cortés fueron, con el paso del tiempo y los azares del destino y la historia, a parar a diversas colecciones de arte y arqueología del mundo. Una de ellas es la que formaría parte de la colección de arte de la enriquecida familia de los Medici en Italia, y que por motivos que no cabe explicar aquí fue posteriormente comprada por el Museo Británico para formar más adelante su sala mexicana, en la que se incluyen objetos como las famosas máscaras de turquesas que tanto describen las fuentes.

Así, Moctezuma dio las instrucciones debidas y les dijo: "Id a su encuentro, y hacedle oír, poned buen oído a lo que os diga".

Los emisarios de Moctezuma llegaron a las costas, y un grupo de marineros transportó en pequeñas barcas hasta el barco de Cortés, llevando con ellos todos los presentes que Moctezuma les había mandado hacer, incluyendo, por supuesto, el tesoro de Quetzalcóatl.

Debemos destacar en primer lugar que Cortés tenía entre su tripulación a Jerónimo de Aguilar, un español que comprendía bien el idioma maya. También estaba la afamada Malinche, oriunda de Tabasco, que comprendía perfectamente el idioma maya y sobre todo el náhuatl, con el cual los indígenas podían de esta forma hacer llegar sus palabras a Cortés: la Malinche escuchaba lo que los nativos le decían, se lo traducía al maya a Jerónimo de Aguilar quien se lo transmitía en castellano a Cortés.

De esta forma, antes de abordar la nave Cortés preguntó a los indígenas de dónde venían. Ellos simplemente respondían: "¡De México, de México!".

Ya estando arriba los indios, con gran solemnidad y reverencia le contaron a Cortés que en esta ocasión tocaba a Moctezuma el gobierno de la Ciudad de México, y que había estado guardando su aposento desde hacía muchos años; es decir, intentaban comunicarse con el español como si fuera el mismo Quetzalcóatl. Al mismo tiempo, comenzaron a ataviar a Cortés con todos los ropajes y joyas propios del dios, las sandalias de obsidiana, los collares de cuentas, los espejos, las grebas que usaban los huastecos y otras cosas más.

No sabemos si por miedo o simplemente para imponer su encomienda conquistadora, Cortés decidió amarrar a los indígenas y, se dice, los nativos cayeron desmayados. Ya que Cortés había ordenado que se disparara un cañón para asustar a los enviados de Moctezuma. Así se ve reflejado en algunos documentos, como por ejemplo en el *Códice Florentino*.

Resulta interesante destacar que para ese momento el gran arrojo y la fama de los guerreros mexicas, así como la importancia que habían tenido desde el inicio de su imperio habían trascendido por toda Mesoamérica. Por ese motivo, de alguna manera, Cortés, antes siquiera de tocar tierra, ya tenía noticia de que existía un gran reino, el de México, con fabulosos tesoros, y que los amos y señores de esas tierras eran los mexicas, afamados guerreros que estaban bajo el mando del señor Moctezuma.

Por este motivo Cortés, con un tono un tanto petulante, ya que no se daba cuenta de que realmente no estaba frente a un grupo de guerreros sino que se trataba simplemente de unos emisarios, instigó y retó a los nativos a pelear, arguyendo que se sabía de la fama mexica del valor en la guerra.

De esta forma, Cortés les dio algunas armas, espadas y escudos y decretó que al día siguiente sería la disputa para ver si la fama que sobre ellos se había extendido era o no cierta.

Finalmente, los mexicas dijeron que solo eran vasallos de Moctezuma y de que no había ido para pelear, ya que eso solo provocaría las iras de Moctezuma.

Cortés accedió a dejarlos libres, y en seguida los indígenas, muy apresurados, llegaron a la costa y salieron corriendo hacia Tenochtitlan. La gente les decía: ¡Tranquilos, pueden descansar y después podrán irse!", pero ellos solamente respondían con mucho nervio: "¡Pues no, estamos de prisa, vamos a darle cuenta al señor Moctezuma. Le diremos qué hemos visto". Mientras caminaban hacia Tenochtitlan se preguntaban entre ellos: "¿O acaso tú antes lo oíste?".

Pasado esto, Cortés desembarcó en las costas de la actual Veracruz, que en aquel entonces formaba parte de los señoríos totonacos de Cempoala adscritos al imperio de Moctezuma. En este lugar realmente no tuvo mucho problema, pues el señor de Cempoala lo recibió sin ninguna resistencia y le advirtió que aquel territorio no era suyo, sino del señor Moctezuma. Ello se debe a que un grupo de calpixques o recaudadores de impuestos de Moctezuma llegaron a Cempoala a exigir el respectivo tributo de la zona de Quiahuztlan. Cortés, al darse cuenta de tal situación, aconsejó al señor de Cempoala que no se sometiera

más al yugo de los mexicas, capturó a los calpixques bajo los ojos sorprendidos del pueblo toto-
naco, que inicialmente tenía mucho miedo. Los
totonacos se dieron cuenta de que no había
mucho que temer, pues estos forasteros eran realmente su apoyo para deshacerse del yugo mexica.

En ese lugar Cortés pudo establecer el
primer ayuntamiento como base política y
estratégica para el inicio de su conquista. Así, el
primer paisaje que tuvieron frente a ellos fueron
las hermosas áreas húmedas características de la
Costa del Golfo, con algunos pantanos y algunos
verdosos pastizales.

Antes de partir hacia el interior de las selvas,
algunos de los hombres de Cortés se encontraron
un poco temerosos de lo que podría suceder; por
lo que se produjo un gran motín. Para evitar que
alguno de ellos pensara en regresar, se presentó
el famoso suceso en el que Cortés ordenó
quemar las naves. De un modo o de otro, Cortés
iniciaba su expedición al Nuevo Mundo.

La expedición al Nuevo Mundo

Así, el señor de Cempoala doto a Cortés con
cerca de 300 hombres en apoyo militar y de carga,
incluyendo algunos alimentos y demás objetos de
ayuda. Un chico de Cempoala comenzó a guiarlos
por los caminos, y como sabía náhuatl, el idioma
"oficial" de la entonces Mesoamérica, pudieron
llevar a buen fin el trayecto, hasta toparse con un
pequeño ejército de otomíes de Tecoac, quienes

les hicieron la guerra. Pero poco pudieron hacer, sobre todo por lo estruendoso y extraño que les parecieron el cañón y las armas de acero españolas.

El siguiente punto importante de encuentro sería el señorío de Tlaxacala, ya que a juicio de los totonacos este era el camino más propicio para llegar a Tenochtitlan, ya que Cortés tenía la intención de conocer a Moctezuma, de quien todos decían, pueblo por pueblo, poblado por poblado, ser vasallos.

Entre tanto, Moctezuma estaba sumido en una profunda preocupación. No comía, no dormía y, desesperado, preguntaba a sus sirvientes y guardia personal si ya habían llegado los emisarios del mar. Hasta les comentó que si los veían llegar, no importaba la hora, quería ser avisado para saber qué estaba pasando y, sobre todo, cuál era el futuro que les esperaba. Sumido en oraciones, decía: "¿Qué sucederá con nosotros? ¿Quién de veras queda en pie? Vulnerado de muerte esta mi corazón. ¡Cual si estuviera sumergido en chile! Mucho se angustia, mucho arde. ¿Adónde pues nuestro señor?".

Moctezuma recibió finalmente a los enviados en la casa de la serpiente, y como consecuencia de su idea de que, efectivamente, Cortés y sus hombres eran los dioses, mandó rociar a los

Una de las primeras ilustraciones que se tienen de Hernán Cortés es esta elaborada por Cristóbal Widitzy datada de 1529.

mensajeros con la sangre de unos sacrificados. Era necesario, ya que ellos los habían visto de frente y, sobre todo, ¡habían hablado con los dioses!

Creo que en este caso vale mucho la pena atender a la descripción que hace Fray Bernardino de Sahagún respecto a lo que los indígenas le decían al propio Moctezuma sobre lo que habían visto:

> [...]cómo estalla el cañón, cómo retumba su estrépito, y cómo desmaya y cómo se le aturden a uno los oídos. Y cuando cae el tiro, una especie de bola de piedra sale de sus entrañas, va lloviendo fuego, va destilando chispas, y el humo que de él sale es muy pestilente, huele a lodo podrido, penetra hasta el cerebro, causando molestia. (Fray Bernardino de Sahagún, *Historia General de las Cosas de la Nueva España*)

> Sus aderezos de guerra son todos de hierro: hierro se vistan, hierro ponen como capacete a sus cabezas, hierro son sus espadas, hierro sus arcos, hierro sus escudos, hierro sus lanzas, los soportan en sus lomos sus venados. Tan altos como los techos. (*Códice Florentino*)

Después de escuchar todo esto, Moctezuma se llenó de espanto, de miedo y angustia, y es aquí donde encajamos una de las más interesantes y polémicas historias en torno a la actitud que tomó Moctezuma desde un principio sobre los forasteros. ¿Qué era lo que realmente debía hacer

Moctezuma? ¿Enviar al ejército? ¿Esconderse y desaparecer? ¿Rendirse ante el dios supremo que venía acercándose?

Autores como Michael Graulich defienden la postura de Moctezuma. Debemos pensar, por un lado, que la extraordinaria coincidencia de la llegada de Quetzalcóatl con el arribo de los españoles en Mesoamérica es una de las más extrañas de la Historia. A Moctezuma le parecía lógico que su príncipe hubiera llegado, por ello lo menos que debía hacer era atacar a un ser que, en principio, parecía inatacable. De cualquier manera, durante el trayecto de la costa del Golfo a México, Moctezuma estuvo en cierta forma persuadido a detener bajo su propia estrategia a los forasteros. Constantemente en las crónicas se aprecia que Moctezuma inicialmente trató efectivamente a los forasteros como dioses, y diplomáticamente y bajo su concepción mesoamericana debía actuar como dicen algunos textos: "Ellos tenían que tener a su cargo todo lo que les fuera menester de cosas de comer, gallinas de tierra, huevos de estas, tortillas blancas. Y todo lo que aquellos (los españoles) quisieran o con su corazón quedaran satisfecho. Que los vieran bien. Entonces es aquí cuando se repiten las escenas de la entrega de pequeños paquetes con tortillas de maíz ensangrentadas, aspecto que por supuesto a los españoles les pareció bastante repulsivo. Sin embargo, para lo emisarios era una acto de alimentar a sus dioses, tal como habían venido haciendo durante sus fiestas de sacrifico; eran los dioses venidos del cielo".

Curiosamente, el contingente español había traído algunos individuos de origen africano como esclavos, y a estos los mexicas simplemente los designaron como los "dioses sucios".

Aprovechando la ida y venida de sus emisarios, Moctezuma llegó a enviar, con objeto de detener a los forasteros, a un grupo de magos para que, en forma de encantos y artilugios, hicieran que estos seres extraños enfermaran, se murieran o regresaran al lugar de donde habían venido; aspecto que evidentemente no resultó. Es decir, era el medio por el que Moctezuma consideraba que podía detener a un grupo de individuos que, en principio, ni siquiera sabía si era posible detener. Recordemos que para él eran dioses, no un ejército que avanzaba hacia su ciudad.

Así toda Tenochtitlan temblaba de miedo, había fuertes rumores por las calles, las mujeres lloraban y todo parecía como si la gente presintiera lo que en poco tiempo iba a avecinarse.

Mientras tanto, Cortés y su expedición se toparon con un inmenso muro de piedra abandonado. Era una fortaleza de piedra, habían llegado al señorío de Tlaxcala. A su llegada, fueron recibidos por un contingente de otomíes armados que estaban al servicio de Tlaxaca, con los cuales tuvieron algunos altercados, pero finalmente Cortés, sabiendo que eran enemigos de los mexicas, decidió hacer las paces. Fueron recibidos en Tlaxcala con alimentos.

Desde otro punto de vista hay fuentes que atestiguan que efectivamente los mismos tlaxcaltecas se enfrentaron al reducido ejército de

Cortés, y que después de algunas batallas las huestes tlaxcaltecas fueron derrotadas y los españoles recibidos en la ciudad de Tlaxcala en presencia de los embajadores mexicas.

Moctezuma, desde sus aposentos, estaba fraguando desde un principio detener a quienes en cierta forma ya no estaban siendo del todo considerados como dioses. Por ello Moctezuma, antes de que Cortés llegara a Tlaxcala, había enviado una serie de hechiceros para que los detuvieran con sus conjuros, pero bien sabemos que esto fue totalmente infructuoso. Ahora debía pensar una nueva estratagema para detener a estos forasteros, y la mejor forma era consiguiendo el apoyo de Cholula, una ciudad que tenía por dios patrono a Quetzalcóatl.

Hipotéticamente, autores como Michael Graulich argumentan que Moctezuma no debía enviar a las tropas, pues como sucede en el imperio mexica, cada población que se resistiera al pago de tributo era sometida y destruida; en caso contrario podían conservar su trono y autonomía. Quizá Moctezuma pensara de igual forma y por ello consideró que era más importante mantener una situación diplomática con unos personajes que, en principio, no tenía muy claro si debía o no atacar.

Mientras tanto, la gente de Tlaxcala brindaba a Cortés todo lo que este pedía, incluidas sus mujeres. Preguntaba:"¿Dónde está México?". Y ellos respondían: "No muy lejos. Sus hombres son muy valientes, fuertes guerreros y conquistadores".

Durante sus conversaciones con Cortés, los de Tlaxcala empezaron a hablar mal de la gente de Cholula, un señorío muy cercano a Tlaxcala, por el cual seguramente Cortés debería pasar. Así los tlaxcaltecas informaron a Cortés de que en Cholula se estaba fraguando una emboscada, ya que estos eran muy amigos de los mexicas.

En realidad se supone que Moctezuma había preparado una emboscada a Cortés dentro de Cholula prometiendo a los señores de Quetzalcóatl una serie de tropas mexicas para apoyar en la refriega; sin embargo, se dice que la Malinche y los mismos tlaxcaltecas contaron los planes de Moctezuma. Un ejército de 50.000 mexicas estaba esperando a Cortés en un punto cercano a la ciudad. Cuando esto llegó a oídos del conquistador, este cerró las calles y acuchilló a todo aquel que encontró a su paso. Dicen las fuentes: "Pues cuando todos se hubieron reunido, luego se cerraron las entradas: por todos los sitios donde había entrada. En el momento hay acuchillamiento, hay muerte, hay golpes. ¡Nada en su corazón temían los de Cholula! No con espadas, ni con escudos hicieron frente a los españoles. Nomás con perfidia fueron muertos, no más como ciegos murieron, no más sin saberlo murieron" (Informantes de Sahagún).

Los cholultecas, muy confiados en su dios Quetzalcóatl, pensaban que con un mandato divino sería más que suficiente para detener a los españoles, pero fueron aniquilados, tal como registran las fuentes tlaxcaltecas, algunos documentos pictográficos como el *Lienzo de Tlaxcala* y más aún la arqueología, ya que en 1972 se publicó un informe de excavación en la Catedral de San Gabriel, sitio donde se ubica la actual pirámide de Quezalcóatl en Cholula, en el Estado de Pueblo, donde los arqueólogos Roberto García Moll y Efraín Castro Morales comunicaron que habían localizado cerca de 671 esqueletos, identificados como parte de las víctimas de este holocausto. 43 de estos individuos presentan evidencia de haber sido decapitados y desmembrados, mientras que los restantes muestran cortes y heridas profundas en los huesos. Todo concluyó para los cholultecas: "Su ídolo Quetzalcóatl no les ayudó en cosa alguna".

De esta forma, los españoles se dieron a la tarea de seguir su camino hacia la gran Tenochtitlan, pero Moctezuma tenía ya otros planes listos para tratar de detener a los forasteros.

Realmente, desde Cholula ya quedaban pocos pasos para entrar propiamente en tierras mexicas. La cuenca de México, un bello escenario lacustre rodeado de volcanes, con un hermoso cielo azul, esperaba la llegada de estos nuevos emisarios del otro mundo.

Cuando los españoles se encontraban muy cerca del Popocatépetl, uno de los principales volcanes de México muy cerca del Tajón del Águila, se encontraron con una comitiva que llevaba grandes regalos de oro, y lo más importante y que no esperaba Cortés, al mismo Moctezuma al frente de la comitiva. Al estar frente a frente Moctezuma le entregó una bandera de oro, plumas, y collares, cosas que por supuesto hicieron que los extranjeros se arremolinaran ante los presentes y vieran en su expedición una especie de recompensa. Entonces Cortés enseguida preguntó: "¿Tú eres Moctezuma?". Y él le contestó: "Sí, yo soy Moctezuma, tu servidor", pero en seguida se dieron cuenta de que no era así. Se trataba de un enviado especial llamado Tzihuacpopoca, que trataba de engañar a los españoles; pero enseguida las gentes de Tlaxcala y Cempola le advirtieron del engaño y, furiosos comenzaron a insultar al insolente y continuaron su camino.

Todavía Moctezuma tenía oportunidad de detener a los invasores antes de que llegaran a su ciudad. Envió a una serie de magos para tratar de detenerlos, expedición que, obviamente, fracasa en el cumplimiento de su objetivo. La llegada de los invasores era ya inminente.

Uno de los últimos lugares donde los españoles colocaron su campamento antes de llegar propiamente a Tenochtitlan fue en Amequemecan, al sur de la ciudad de la cuenca de México, sitio que formaba parte del territorio de los chalcas, pueblo tributario desde hacía ya muchos años de los mexicas, y uno de los primeros pueblos sojuzgados por los antiguos señores de Tenochtitlan. Cortés asegura que aquellas gentes fueron muy hospitalarias con ellos, brindándoles lo necesario. Sobre todo, recibieron el apoyo de algunos embajadores de Moctezuma, que les indicaban que permanecieran allí porque Moctezuma los estaba esperando. Esta era una estrategia diplomática que Moctezuma estaba llevando a cabo, pero Cortés no sabía que, por otra parte, Moctezuma se encontraba sumido en una fuerte depresión y temor por lo que estaba por llegar.

Aun cuando Cortés temía los probables ataques, sabemos que mucha gente de los alrededores se arremolinaba para tratar de ver a los forasteros. Era común que al campamento llegaran espías de todas partes para saber quiénes eran estos hombres blancos y barbados.

Al día siguiente, algunos cronistas refieren que Cacamatzín, sobrino de Moctezuma, señor de Texcoco, fue a recibir a Cortés para, finalmente, llevarlo al último trayecto hacia Tenochtitlan, exactamente para entrar por el sur de la ciudad, por Iztapalapa, región que estaba designada a Cuitlacuac, hermano de Moctezuma. Algunos días después de aposentarse en dicha ciudad, llegaron finalmente por la calzada mencionada. Cortés describió así su entrada:

> Y a media legua andada entre por una calzada que va por medio desta laguna hasta llegar a la gran ciudad de Tenochtitlan, que está fundada en medio de la dicha laguna, la cual calzada esta tan ancha como dos lanzas y bien obrada , que pude ir por toda ella ocho de a caballo a la par. (*Cartas de Relación*)

Mientras esto sucedía, Moctezuma se encontraba afligido. Sabía de la llegada de estos invasores, y las únicas palabras que las fuentes de los vencidos proporcionan al respecto son: "Y cuando lo oyó Moctezuma, no hizo más que abatir la frente, quedó con la cabeza inclinada.

Ya no habló palabra. Dejó de hablar solamente. Largo tiempo estuvo así, cabizbajo. Todo lo que dijo y todo con lo que respondió fue esto. ¿Qué remedio mis fuertes? ¿Pues con esto ya fuimos aquí! ¿Con esto ya se nos dio lo merecido? ¿Acaso hay algún monte donde subamos? ¿O acaso hemos de huir? Somos mexicanos. ¿O acaso se dará gloria a la nación mexicana?". (Informantes de Sahagún)

Fuentes como el *Códice Florentino* toman a Moctezuma como un cuiloni, la palabra náhuatl para designar a un cobarde, y esta es una de las principales bases para que muchos investigadores posteriores retomen esta idea. Incluso se trata de una polémica actualmente en boga, derivada de las contradicciones de las fuentes escritas. Incluso algunas fuentes aseguran que el tlatoani murió apedreado, mientras que otras afirman que fue asesinado por los propios españoles.

Como bien sabemos, la historia humana siempre es narrada por los vencedores, pero gracias al trabajo de Miguel León Portilla también tenemos la visón de los vencidos, que en el caso de la conquista mexicana ha trascendido como una importante referencia respecto a la forma en que los indígenas de Tlatelolco vieron los sucesos aquí narrados. Por otro lado está la visión que dieron los españoles en las crónicas del mismo Hernán Cortés o en relatos de autores como Bernal Díaz del Castillo y el Conquistador Anónimo, que permiten contrastar de forma coordinada los acontecimientos comentados.

De esta forma, Moctezuma es visto por unos como un cobarde que nunca hizo nada para detener a Cortés antes de su llegada a Tenochtitlan, y por otra parte hay quienes lo defienden, viendo en él a un gobernante inteligente que trató de detener a un enemigo que se encontraba a las puertas de su casa.

Moctezuma convocó una última reunión para decidir qué debían hacer, si recibir a los invasores o no. Algunos como Cuitláhuac consideraban que no debían recibirlos y, en general las fuentes sahaguntinas afirman que todos estaban de acuerdo con él. Pese a ello, otros como Cacama decían lo contrario, que era necesario recibirlos en tono de amistad y diplomacia, a lo que Moctezuma solo respondió que era lo justo y necesario recibirlos a bien, y así se preparó todo.

Es a continuación cuando se produce uno de los encuentros más famosos de la Historia. Dos mundos se encontraban frente a frente, dos universos culturales y religiosos que jamás habían estado en contacto. Por un lado, Cortés era representante de la cultura clásica mediterránea y occidental, mientras que Moctezuma era el fiel representante de las ancestrales tradiciones mesoamericanas, y finalmente entablarían una charla que vale la pena detallar:

Se dice que Moctezuma se colocó flores de todo tipo, guirnaldas, flores de escudo, de corazón, collares de oro y de otros ricos materiales. Moctezuma iba caminando por una gran calle acompañado por dos personas, una a cada lado, aderezadas con ricas ropas. Uno de ellos era

Cuitlahuac. Ambos iban descalzos, no así Moctezuma, quien llevaba sus típicas sandalias de media talonera que distinguían a los grandes señores y la gente de alto estatus.

Frente a frente, las fuentes refieren que Moctezuma brindó a Cortés un sartal de flores preciosas para colocarlas en su cuello, mientras que Cortés le colocó un sartal de margaritas.

Cortés, emocionado, preguntaba: "¿Acaso eres tí? ¿Es que ya tú eres? ¿Es verdad que tú eres Moctezuma?". Y este simplemente respondió: "Sí, yo soy". Y de inmediato Moctezuma se levantó y se inclinó ante Cortés, suponiendo que era Quezalcóatl, y le confirmó que finalmente había llegado a su ciudad, México Tenochtitlan. Que había llegado a su trono, del que tanto habían cuidado él y sus antecesores, Izcóatl, Moctezuma Ilhuicamina, Axcayácatl, Tízoc, Ahuítzotl, y ahora él.

Sobre este encuentro hay diversas imágenes en códices como el *Lienzo de Tlaxcala*, que han servido de inspiración también para que muchos artistas mexicanos y extranjeros reflejaran este interesante encuentro, llevado a cabo el día 8 de noviembre de 1519.

Tomó después de la mano Moctezuma a Cortés y lo llevó a una sala especial, en la que tenía preparado un estrado para la conferencia que estaba por celebrarse.

Moctezuma, dando la bienvenida al forastero, le explicó que había llegado a su trono y que desde hacía muchos años le habían estado esperando sus señores. En seguida, bajo traducción de la Malinche, Cortés recibió las palabras de Moctezuma, y le respondió que lo tenía en alta estima y que hacía tiempo que tenía deseos de conocerlo. Corrió la noche y Cortés y Moctezuma se encontraban en la casa real, hablando, mientras la población de Tenochtitlan estaba asustada por lo que pudiera suceder. Mandó de esta manera el señor de Tenochtitlan traer alimentos y todo lo necesario para los españoles, mientras estos se encontraban recogidos en la casa principal de Moctezuma. Mucho tiempo pasó, y Cortés pudo disfrutar de la ciudad, conocer parte de ella y observarla. Mucha de esta riqueza está narrada en sus anécdotas, en las que describe, como ya hemos comentado, la gran ciudad mexica.

Pero entre las versiones que se narran en las diversas fuentes se habla de que Moctezuma fue aprehendido por Cortés y sus huestes seis días después de que el tlatonai les enseñara parte de las riquezas de Tenochtitlan, sobre todo por consejo de los propios soldados de Cortés, quienes habían recibido una carta que decía que los mexicas habían matado a traición a una serie de españoles en las costas totonacas.

En seguida, los españoles aprovecharon, junto con sus aliados tlaxcaletcas, para apoderarse de todo el oro que pudieron coger en cuentas de collares, pendientes, bezotes, orejeras y otros ornamentos que Moctezuma tenía entre sus riquezas y en las arcas del estado, mientras otro tipo de productos que los mexicas tenían en mayor estima que el oro, como las piezas de piedra verde, fueron sobre todo sustraídas por aquellos que, efectivamente, les daban mayor valor, es decir, los mismos indígenas tlaxcaletcas.

Pese a las polémicas que se han creado sobre la existencia de este famoso tesoro de Moctezuma, disponemos de algunos datos arqueológicos que permiten reconocer su verdadero paradero, ya que, como sabemos, este tipo de ornamentos fue posteriormente fundido y transformado en tejos de oro de los cuales tenemos una extraordinaria evidencia arqueológica recuperada en la Ciudad de México y actualmente expuesta en el Museo del Templo Mayor. Este tejo de oro presenta las huellas del molde en el cual fue colocado, hallazgo narrado por Francisco González Rul en un pequeño librillo, poco antes de su fallecimiento.

La manera en que Cortés describe lo que sus ojos veían respecto a la ciudad de Tenochtitlan hace pensar en la grandiosidad que en ese momento contemplaba. Decía ser tan grande como Córdoba o Sevilla, con unas calles de tierra y otras de agua, refiriéndose con ello al lugar por donde transitaban las canoas. Hablaba del mercado de Tlatelolco, que podía corresponder a dos veces la plaza de Salamanca en España, en donde había todo tipo de mercancías, como vestidos, joyas de oro y plata, conchas, caracoles, piedra para labrar, todo tipo de aves, conejos, liebres, venados, entre otros muchos productos manufacturados como la cestería o los alimentos. En algún momento describe los templos, llamándolos mezquitas, donde habitaban los sacerdotes, con sus cabellos largos y vestidos de negro, según cuenta Cortés.

Resulta interesante, como ya ha planteado Graulich, que Cortés supiera que si los mexicas quisieran podrían tender una emboscada a los españoles. desde lo alto de sus casas, por donde podrían arrojar todo tipo de proyectiles, cerrar todas las calzadas para atraparlos y, finalmente, dejarlos morir de hambre. Quizá fuera por esta razón por la que también Cortés decidió atrapar a Moctezuma, sobre todo como una forma de mantenerse a la defensiva en caso de considerar la idea de la emboscada. Mientras Moctezuma estaba prácticamente recluido por Cortés, los mexicas se encontraban preparando una de sus más importantes fiestas, la dedicada a Huitzilopochtli, en el mes llamado de Tóxcatl, correspondiente a nuestro mes de mayo. El principal objetivo de la fiesta consistía en hacer una figura de Huitzilopochtli con una serie de bledos de una planta llamada chicalote. Algunas otras fuentes refieren que era de amaranto. Con estos vegetales elaboraban la figura, que ocuparía un lugar principal en la ceremonia. A la efigie le agregaban plumas, orejas de mosaico de turquesas, y hacían su nariguera de oro. Finalmente sobre la cabeza, después de agregarle otros ornamentos, colocaban su ropaje, maxtlatl o braguero, y un escudo, al que añadían unas flechas- Un penacho de plumas de colibrí era lo último que le colocaban para, después, ponerla en lo alto del Templo Mayor.

Entre tanto, desde las costas de Veracruz una nueva expedición española había llegado a Mesoamérica. Era Pánfilo de Narváez, que por órdenes del gobernador de Cuba, Diego Velásquez, había llegado para aprehender a Cortés por su insurrección a la Corona española y a las órdenes que desde un principio se le habían dado de regresar a Cuba.

Cortés fue informado y reunió a las tropas disponibles para enfrentarse a Narváez, dejando al mando de la situación a Pedro de Alvarado.

Los informantes de Sahagún describen así la ceremonia: "Resonaron los tambores, todo el patio estaba lleno de humo de copal y los participantes, bien aderezados con sus atavíos, comenzaban a bailar. Algunos jóvenes guerreros con un pequeño mechón también participaban en la ceremonia, cuando de pronto cuentan las fuentes que Alvarado, quien estaba presenciando la ceremonia, entró y de un momento a otro el suelo se llenó todo de sangre, la cabeza de un indígena había caído en una de las esquinas".

Alvarado y sus hombres entraron a media ceremonia y comenzaron una carnicería que pasaría a la Historia. Se dice que cerraron las salidas y a todo aquel con el que se toparon optaron por alancearlo y soltar tajos de espada en las cabezas y cuerpos, los cuales salieron despedidos por los aires, brazos, piernas y algunos destripados. En seguida los mexicas comenzaron a correr despavoridos hacia las salidas, las cuales ya estaban tapadas, y aquellos que intentaron salir fueron devueltos a filo de acero. Alvarado había comenzado desastrosamente la guerra de dos mundos, esto en favor de lo que Cortés había hecho en Cholula, según él para evitar algún tipo de emboscada, ya que Cortés le había dejado con pocos hombres, pero realmente había cometido un grave error.

En seguida se escucharon los gritos de algunas mujeres, que decían: "Capitanes mexicanos, venid acá. ¡Que todos armados vengan, sus insignias, sus escudos, sus flechas! Venid acá, deprisa, muertos nuestros guerreros, nuestros capitanes. Han sido aniquilados nuestros capitanes".

Y en cuestión de minutos, una gran serie de efectivos del ejército mexica estaba listo y comenzando la batalla en contra de los forasteros. Debían defender su ciudad y nación, y la lluvia de dardos del átlatl, las flechas y las piedras de honda no se hicieron esperar. Los españoles, al verse acorralados, se resguardaron en las casas reales, desde donde colocaron en la entrada un cañón que servía de soporte en su acuartelamiento, y desde donde comenzaron a disparar flechas con las ballestas y balas de arcabuz.

Tácticamente hablando, los españoles debían refugiarse en un lugar desde el cual pudieran, con el menor trabajo posible, disparar sus respectivos armamentos. Sabemos que un tiro de ballesta o de arcabuz tardaba por lo menos un minuto en ser recargado, por tanto era necesario encontrar un momento estratégico para recargar y tirar de nuevo. En este sentido, el estar apertrechados en estas casas les daba la oportunidad de no enfrentarse directamente con un número bastante superior de enemigos.

Por espacio de siete días estuvieron acorralados los españoles en las casas reales; ya no les era enviado ningún tipo de alimento y aquel que osaba entrar para brindar algo a los españoles era inmediatamente aniquilado. Una fuerte guarnición de soldados estaba custodiando los alrededores. Tenochtitlan estaba en guerra y tenía sitiados a sus enemigos dentro de su propia ciudad. Entre tanto, Cortés, que ya había derrotado a los ejércitos de Narváez, había enviado un mensajero para comunicar lo que había acontecido en las costas. Su sorpresa, doce días después, al regreso de su mensajero, fue que los indígenas de Tenochtitlan ya estaban haciendo la guerra a su gente y que Moctezuma no tenía intención alguna de parar esta guerra. Resalta el hecho de que Cortés, en sus *Cartas de Relación*, es solamente llamado para socorrer a los suyos de esta situación sin realmente saber cuál había sido el motivo de la guerra. Y de esta manera, junto con el grupo de soldados que le apoyaron de parte de Narváez y un grueso del ejército Tlaxcalteca, Cortés partió inmediatamente hacia Tenochtitlan para entrar en combate. La lucha por la conquista de México había, desafortunadamente, comenzado.

El encuentro de piedra y acero

Cuando llegaba a la ciudad, Cortés envió a un mensajero para saber qué había pasado, y este, magullado, a su regreso le informó de que la gente de Tenochtitlan se alzaba en guerra. Y por detrás de él, un fuerte contingente del ejército mexica, que iniciaba la batalla con alaridos y estruendosos sonidos de tambor, comenzó a arrojar flechas, dardos y piedras con la honda. Prácticamente habían elaborado una emboscada para recibir a Cortés en la ciudad, pues se cuenta que desde las azoteas de las casas arrojaban piedras, y no solo los guerreros, sino que en algunas ocasiones hasta las mujeres y los niños apoyaban el ataque desde las casas.

Cuando Cortés llegó a las casas reales hizo disparar los cañones de manera que se guarecieron en esta "fortaleza" hasta muy entrada la noche, entre tanto las batallas continuaban y de alguna manera Cortés estaba preparando la huida por la noche. Cuenta Cortés que hubo más de ochenta heridos incluyéndolo a él en estos primeros combates.

El conquistador español menciona también la cantidad de guerreros mexicas con los que combatían, ya que aunque atacaban constantemente, poco hacían, ya que los mexicas en seguida se reagrupaban. También argumenta que ellos peleaban por turnos, ya que contaban con mucha gente, a diferencia de ellos, que contaban con un reducido número de soldados y que por tal motivo no podían tener efectivos de reserva, por lo que tenían que pelear todo el día sin parar. Por supuesto, debemos decir que las tropas españolas también contaban con el apoyo de las huestes tlaxcaltecas, que sin duda formaban el grueso del ejército.

Para entonces Moctezuma se encontraba todavía preso y había comentado a Cortés que él mismo, desde la azotea, hablaría con sus gentes para que cesasen la guerra. Y es aquí donde se produce uno de los sucesos más polémicos en la historia de la conquista de México, ya que las fuentes narran que Cortés mandó traer a Moctezuma de su encarcelamiento y lo subió a una azotea para que se dirigiera su pueblo de esta forma: "Pues no somos competentes para igualarlos, que no luchen los mexicanos. Que se deje en paz el escudo y la flecha". Y es en ese momento cuando la gente del pueblo y los guerreros comenzaron a clamar el grito de guerra. Por toda Tenochtitlan se oía el estruendo de la guerra, y comenzaron a enviar vituperios y malas palabras a Moctezuma, arrojando todo tipo de piedras, una de las cuales le alcanzó en la cabeza, haciéndole una grave herida que, según algunas fuentes, le causó la muerte a los tres días. Otros autores aseguran que lo mataron los españoles encajándole una espada por las partes bajas. Este es el final de uno de los más importantes y famosos gobernantes de la gran México Tenochtitlan, una ciudad a la que desde este momento le quedaría muy poco de vida.

No quedaba un solo personaje del estado mexica que pudiera parar ya esta guerra, así que a

Cortés solo le restaría esperar el momento para huir de la ciudad. Así, durante la noche, dio cuenta de las bajas de su ejército y preparó una serie de artefactos que se utilizaban ya en tiempos de los romanos; los testudines o tortugas, que consistían en unas pequeñas fortalezas de madera dentro de las cuales Cortés podía guarecer a sus hombres con ballestas, arcabuces y cualquier tipo de arma de largo alcance, de manera que pudieran guarecerse de los ataques que se producían desde las azoteas.

Debemos recordar que un ballestero necesitaba cerca de un minuto para poder recargar el arma, y más aún si el sistema que empleaba su ballesta era el de poleas, tan comúnmente usado desde la Edad Media, así que era necesario contar con una serie de caparazones movibles para poder salir de la ciudad. A su vez, habían elaborado una especie de puentes portátiles que les permitían ir pasando los canales sin problemas.

A cierta hora de la madrugada comenzó a chispear, y la Ciudad de México se encontraba en cierta calma. Esta era la oportunidad que Cortés estaba buscando: acomodó al grueso de su ejército adelante y a los efectivos tlaxcaletacs, cerca de 3000 según cuenta Cortés, por detrás de él. Comenzaron a huir de la ciudad. Con suma discreción y silencio avanzaron con todo el oro que pudieron cargar en sus manos y entre sus corazas de hierro. Pudieron pasar los canales de Tecpantzinco, Tzapotlan y Atenchalco gracias al puente portátil a cargo del que iba un tal Magariño con un contingente de 40 hombres, pero llegando a Mixcoatechialtiltán, una mujer que se encontraba sacando agua en el canal alcanzó a verlos y enseguida dio aviso. Un mexica subió a lo alto de un templo, algunos creen que el Templo Mayor, y comenzó a llamar a los capitanes mexicanos con una serie de gritos: "Mexicanos, nuestros enemigos se escapan, ¡traed a todo el ejército!". Y es en este momento cuando se inicia una de las batallas más famosas de la conquista, sobre todo por la humillante y casi completa derrota del ejército de Cortés a manos de los guerreros mexicas y más aún por la desfavorecida situación en la que se encontraba, ya que al estar huyendo de la ciudad y, sobre todo, por la carga de oro que llevaban entre sus manos los soldados españoles, el combate les resultaba prácticamente imposible. Cerca de 80 cargadores tlaxcaltecas que también llevaban buena parte del oro mexicano estaban como efectivos inoperantes en el combate.

En seguida se acercaron los guerreros que estaban más próximos a los canales, aquellos que montaban guardia tanto de Tlateloclo como de Tenochtitlan en sus canoas, apresurados con gran coraje iban remando hacia los españoles, mientras otros de sus ocupantes comenzaban a lanzar dardos, flechas y piedras. Sus canoas estaban revestidas con una serie de chimallis o escudos, como una flota militar blindada a la manera indígena. El fuego en seguida fue repelido por los españoles con sus armas de largo alcance, tanto ballestas como arcabuces. Así, un intercambio de proyectiles se vio en los canales de Tenochtitlan, y tanto caían mexicas como soldados españoles y tlaxcaletcas. La ruta elegida para escapar había sido la calzada de Tacuba o Tlacopan, que se encontraba más cercana a ellos en ese momento, y es ahí donde fueron replegados. Pero la batalla fue ardua y sangrienta, muchos murieron ahogados y otros por las heridas de flecha. Podemos imaginar el momento, ya que además esta batalla se estaba librando cuando ya poco faltaba para que el sol saliera por la mañana, y en medio del rocío parecía que Tláloc y Huitzilopochtli presidían el combate y la Lluvia y el Sol se encontraban protegiendo a su pueblo.

Los españoles trataban de escapar de la batalla, lo que provocaba el nerviosismo de los soldados y de los tlaxcaltecas, quienes se encontraban en medio de la lluvia de flechas que salía desde los canales. Muchos llegaron a caer al agua incluso con sus monturas. Entre el peso del oro que llevaban y las corazas de hierro, era imposible hacer frente al ataque. Si recordamos, el peso medio de una armadura medieval era de 30 kilos. Podemos afirmar, conforme a los resultados de los experimentos realizados por la Real Armería de Inglaterra, que un guerrero ataviado con la coraza podría realizar, fuera del campo de batalla, piruetas y movimientos ágiles en el aire. Sin embargo, en situaciones de extremo peligro en medio de la batalla, sobre todo en batallas desarrolladas en el agua como esta, la situación sería muy distinta. Muchos guerreros medievales preferían quitarse la coraza antes de caer al agua.

Los mexicas habían destruido todas las salidas de Tenochtitlan que les había sido posible, y según cuenta Cortés solo una había quedado libre. La intención de los mexicas era dejar que murieran de hambre y de sed dentro de la ciudad, lo que demuestra los conocimientos que los mexicas tenían de la poliorcética. En diversas ocasiones durante estas batallas el mismo Cortés estuvo a punto de fallecer. En algún momento fue herido en una mano, pero ninguna vez peligró tanto su vida como en esta ocasión. La base de ello está en la forma que tenía el pueblo mexica de ver la guerra. Como veremos en el siguiente capítulo, los mexicas concebían dos tipos de práctica militar: las guerras de conquista y las guerras floridas. Sobre todo en esta última, el objetivo principal era capturar prisioneros exclusivamente para el sacrifico, de manera que no debían matar ni herir a sus enemigos, y esta fue precisamente la idea que imperó en algunos momentos de la lucha contra los españoles. Cortés cuenta sobre la batalla en los canales: "Y como yo estaba muy entretenido en socorrer a los que se ahogaban, no miraba ni me acordaba del daño que podía recibir; y ya me venían a asir ciertos indios de los enemigos, y me llevaran." Es decir, que los mexicas, en sobradas ocasiones, aun teniendo la oportunidad de aniquilar a sus enemigos muchas veces prefirieron capturarlos como posibles víctimas de los sacrificios. Así se narra: "Intentaban meterse entre nuestras lanzas y escudos para tratar de sujetarnos como lo cuentan los conquistadores, generalmente esto se daba al toque de una trompeta. Este es uno de los factores que desde mi perspectiva trajo consigo la derrota de los ejércitos mexicas, ya que el español, y por supuesto los tlaxcaltecas, que ya estaban en cierta forma adiestrados, no trataron de hacer cautivos, sino que por el contrario su objetivo primordial era salir de esa situación y aniquilar a cualquiera que se interpusiera en su camino".

Cortés continuó la huida con el grueso de su ejército, entrando por la ciudad de Tacuba, perdiendo cerca de ciento cincuenta españoles, y cuarenta seis yeguas y caballos, y según afirma, más de dos mil tlaxcaltecas; es decir, más de la mitad el ejército tlaxacalteca que los apoyaba, según las cifras del propio Cortés. Otros cronistas mencionan que las bajas en esta batalla son sensiblemente superiores a las que dice el propio conquistador. Además de haber perdido gran parte del botín, Cortés se encontraba agotado. La leyenda dice que se sentó bajo un árbol para descansar y llorar la derrota, de ahí que este suceso sea conocido popularmente como "La noche triste". Este árbol ha sido tradicionalmente identificado con uno que actualmente se encuentra en la actual avenida México Tacuba, en la Ciudad de México.

Cortés se refugió con su ejército en un lugar llamado Otoncalpulco, sitio de ocupación otomí en donde les brindaron alimentos y descanso. Actualmente este lugar está ubicado en el municipio de Naucalpan, donde se construyó una iglesia dedicada a la Virgen de los Remedios y donde se conservan los restos arqueológicos del sitio, llamado por los habitantes de la zona Cerro de Moctezuma, conocido ya desde los años ochenta y explorado inicialmente por los arqueólogos Francisco Rivas y Alberto López Wario. Posteriormente, pudimos hacer junto con el arqueólogo Jorge Antonio Miguel López un pequeño reconocimiento del lugar, registrando entre otras cosas unos petroglifos y evidencia de cerámica azteca III.

Ya una vez descansados, un indígena tlaxcalteca los guió de nuevo hacia su tierra, para que pudieran reponerse de la batalla.

Entre tanto, en Tenochtitlan los mexicas se hacían con el botín dejado por los españoles. Por una parte recobraron todo el oro que habían perdido y se apoderaron de todas las armas y artefactos de los fallecidos: cascos, armaduras, escudos, espadas, ballestas, flechas, alabardas, cañones y arcabuces, e incluso se llevaron el cuerpo de algunos caballos para llevar a cabo una ceremonia sin precedentes en Tenochtitlan. Movían las aguas con los pies y las manos para tratar de encontrar en los canales parte de los despojos de la batalla; pero no solo eso, en contadas ocasiones pasaban guerreros en canoas para poder recoger a sus heridos y muertos y llevarlos a Tenochtitlan para su ceremonia fúnebre.

Arqueológicamente, hasta el momento resalta el hecho de que no tenemos mucha evidencia de esta gran batalla. Francisco González Rul nos narra el hecho del famoso tejo de oro como una pequeña evidencia de tipo arqueológico que mucho podría corresponder con lo que los españoles dejaron caer durante el combate de La noche triste. Quizás valdría la pena tratar de elaborar algunos proyectos con el objetivo de conocer la situación; sin embargo la gran mancha urbana de la Ciudad de México impide desarrollar ningún proyecto que permita atestiguar tan interesante historia.

La muerte de Moctezuma no fue el final de la casta política de la vieja Tenochtitlan. En cuanto se tuvo conocimiento de su muerte, un penúltimo tlatoani fue elegido, el gran señor Cuitláhuac, su hermano, quien se había encargado de dirigir la batalla en contra de los españoles. Sin embargo, un nuevo peligro asolaría a Tenochtitlan, y esta vez ni las flechas ni los arcos los ayudarían. La insalubridad derivada de las muertes hizo que comenzaran a aparecer las epidemias en los alrededores de Tenochtitlan. La viruela hizo su aparición primero en Cuatlán, luego Chalco, y luego en buena parte de Tenochtitlan, Los mexicas la llamaron huey cocoliztli, enfermedad que no se conocía en México. Contagió a una gran parte de la población en Tenochtitlan. El Doctor Bernardo García Martínez, en un reciente e interesante artículo, refiere que en esta primera gran epidemia de la historia mexicana murieron nueve de cada diez personas, y que hasta ahora se tiene registro de que nunca en otra etapa de la historia humana había muerto tanta cantidad de gente en un tiempo tan corto, entre 1520 y 1521. Se ha llegado a calcular que más de la mitad de la población de México-Tenochtitlan pereció por esta enfermedad. Y resulta lógico si tenemos en cuenta que los indígenas no tenían las defensas inmunológicas necesarias ni los recursos para combatir una enfermedad que no conocían. Y fue el Huey Tlatoani Cuitláhuac una de estas nueve de cada diez personas. Así, el consejo decidió entronizar inmediatamente al último y heroico tlatoani de la casta política de los tenochcas, *El águila que cae,* Cuahutémoc.

Por su parte, los españoles fueron recibidos finalmente en Tlaxcala y Cortés, después de algunos días de descanso, se reorganizó y preparó el contraataque. En esta ocasión llegaría reforzado con cerca de doce o trece bergantines, que estarían sobre todo armados con fuertes falconetes, una especie de cañones de menor dimensión pero con gran potencia. Desde Tlaxcala llevaron los bergantines desarmados para colocarlos firmemente en Texcoco.

Isabel Bueno, en su excelente artículo sobre las flotas mesoamericanas, describe cómo los indígenas colocaron una serie de estacas en el lago para tratar de paliar como fuera posible la embestida de los bergantines que se acercaban para asediar Tenochtitlan. Alrededor de las naves, los guerreros mexicas arrojaban desde las canoas grandes cantidades de flechas sobre los conquistadores, quienes repelían las agresiones de igual manera, con los falconetes, que lanzaban grandes bolas de hierro que destruían las paredes de los templos y los edificios de la Ciudad de México. Una buena cantidad de embestidas de los bergantines fue suficiente para poder destruir una flota impresionante de canoas que estaba defendiendo Tenochtitlan. Los relatos de la conquista se complementan con los hallazgos arqueológicos que se han producido recientemente en lo que era parte del Lago de Texcoco por parte del arqueólogo Luis Moret, quien encontró una bala de hierro que probablemente pertenecería a los falconetes de Cortés.

Antes de ello, se dice que los mismos españoles y el propio Cortés dieron cuenta desde su campamento de lo que los mexicas estaban haciendo con sus compañeros caídos en la noche triste. Se dice que desde lo alto del templo mayor, el edificio que más sobresalía de toda la ciudad, se veía a algunos de sus compañeros luchando afanosamente para resistir la captura de los sacerdotes de Huitzilopochtli. México Tenochtitlan estaba en guerra, y era el mejor momento para continuar con sus macabras ceremonias. Qué mejor que la sangre de los hombres del viejo mundo para celebrar los sacrificios a su dios.

De esta manera, la disputa final por la caída de Tenochtitlan había comenzado. No se decidiría solamente por tierra, sino como hemos visto por agua también, y es quizás por donde más daño hicieron a la ciudad. Más aún, el afamado Imperio Azteca estaba totalmente desmembrado, las huestes españolas cada vez se alimentaban más de los pueblos que aprovechaban el momento para desertar y, en ocasiones, para incorporarse a sus filas. De un momento a otro, Tenochtitlan queda rodeada y algunos de los pueblos de los alrededores siguen defendiéndola de los españoles, pero no es suficiente, ya que terminan por rendirse e incluso por apoyar a Cortés, como es el caso de un contingente de los de Texcoco. Tenochtitlan estaba sola.

Durante los enfrentamientos en el lago, los españoles sufrieron muchas bajas derivado de la buena estrategia militar lacuestre de la "armada" mexica.
Lienzo de Tlaxcala, lámina 46.

Tolteca acalo
ypan ōcāmīcc

De los doce o trece bergantines que las fuentes narran fueron finalmente siete los que participaron en el asedio final de Tenochtitlan, pues los otros cinco fueron hundidos por los mexicas. Ya no llegaban suministros a la ciudad y solo quedaba llevar a cabo el desembarco en un pueblo que comenzaba a replegarse dentro de su propia ciudad. Así, algunos de los primeros en entrar a la ciudad fueron los de caballería, y de esta forma el ejército de Cortés comenzó a tomar la ciudad. Los combates entre guerreros mexicas y aliados de Cortés eran voraces y sangrientos. Lanzas de metal, espadas, macuahuitl, ballestas... todo era reutilizado por los mismos mexicas. y en sobradas ocasiones los sistemas de armamento ya no eran solo españoles o indígenas, sino que se producía un intercambio de armamento en el desesperado intento por defender la ciudad. Los mexicas habían quitado algunas armas a los españoles, sobre todo aquellas de uso sencillo. Bernal Díaz argumenta: "Con los diez mil guerreros que el Gutemuz enviaba en ayuda y socorro de refresco de lo que de antes había enviado, y de los capitanes mexicanos que con ellos venían traían espadas de las nuestras, haciendo muchas muertes con ellas de esforzados y decían que con nuestras armas nos habrían de matar".

En seguida Cortés, ya avanzada la batalla dentro de Tenochtitlan, colocó uno de los cañones cercano al temalácatl y desde ahí propinó cañonazos por doquier. Algunas mujeres y niños se replegaban detrás de las azoteas de las casas y arrojaban piedras sobre los enemigos, y en muchas ocasiones se dedicaban a elaborar piedras redondas para arrojar con un tipo de honda llamado glandes. Por todas las calles de Tenochtitlan iba la caballería lanzando estocadas, y los guerreros mexicas los perseguían y en ocasiones se arrojaban sobre ellos para batirlos a golpes o bien desbaratarlos con sus teputzopilli con obsidianas. Quién no recuerda la magnífica escena de un guerrero águila que está atravesando a un caballero español con su lanza en una pintura del genial artista mexicano González Camarena. Entre los alaridos de guerra y dolor de ambos bandos, en algún momento Cortés queda casi desfallecido al ver cómo en el centro de Tenochtitlan se erguía orgulloso un trofeo de guerra mexica que ya conocía, pero no con estas características: se trataba del tzompantli o muro de cráneos, pero que en esta ocasión estaba decorado con la cabeza de sus compañeros, cerca de 53 españoles sacrificados. Lo que impresionaba más profundamente a Cortés y a su gente era que a estos les acompañaban las cabezas de los caballos. Este relato, que más pareciera de una película, está perfectamente justificado por documentos como el *Códice Florentino* y más aún por los hallazgos arqueológicos de Zultepec, en Tlaxcala, de los que hablaremos más adelante.

Los efectivos de Cortés poco a poco obligaron a la nación mexica y toda su gente a replegarse hacia el norte, hacia Tlatelolco, que sería el último bastión defensivo donde Cuauhtémoc defendería a la nación mexica. Llegados a Tlatelolco, nuevamente Cortés da instrucciones de colocar en la plaza central un cañón, con el cual da los golpes finales a la batalla. Al pueblo mexica, ya devastado, sin alimentos ni agua potable para beber, le quedaba solamente defenderse con las escasas fuerzas que le restaban. Para acabar de forma abrupta con el ánimo de los mexicas, el Templo Mayor fue incendiado.

Cuentan los informantes de Sahagún que el último Huey Tlatoani de Tenochtitlan, Cuauhtémoc, en un aliento final de defensa de la nación mexicana consideró ataviar a un gran guerrero, quizá el mejor de los que quedaban con los atributos del dios Huitzilopochtli. La concepción místico guerrera mexica era ya una de sus últimas opciones, y era el mismo Huitzilopochtli quien haría frente a los invasores españoles, y sobre todo su insignia guerrera, una Xiuhcóatl o serpiente de fuego, el arma de Huitzilopochtli. El guerrero Tecolote de Quetzal se arrojó contra los españoles, y de acuerdo con las fuentes, muchos de ellos efectivamente quedaron impresionados y algo asustados por el atavío de este guerrero. Se dice que del cielo cayó un impresionante remolino de fuego. Se trataba del último presagio sobre el final de la gran ciudad tenochca y tlatelolca. Estas son algunas de las últimas cosas que acontecieron antes de que finalmente, por decisión de la última casta noble que quedaba en la ciudad, se entregara Cuauhtémoc a los españoles y con ello se produjera la rendición final de Tenochtitlan, un 13 de agosto de 1521.

Los mexicas, tristes por su final, solo decían: "¡Ya va el príncipe más joven, Cuauhtémoc, ya va a entregarse a los españoles! ¡Ya va a entregarse a los "dioses"!". Cuando Cuahutémoc es presentado frente a Cortés, el todavía tlatoani de Tenochtitlan observa la daga que porta el español en su cinturón, y le dice: "Me quitaré la vida como tú ya has quitado la vida de mi pueblo mexica", y después solo le quedo a Cuauhtémoc disuadir a su ejército de que dejaran las armas, ya todo estaba terminado. En ese momento un capitán general del ejército subió a la azotea en la que se encontraba Cuahutémoc y le acarició la frente, dando a entender que ya no había nada más que hacer.

Hecho prisionero Cuauhtémoc, los españoles se afanaron en terminar la guerra y, sobre todo, en buscar los tesoros de Tenochtitlan: "¡El oro, el oro!", gritaban. Al día siguiente, se cuenta que muchos españoles, ya sin armas, iban por las calles tapándose las bocas del asco que les daba el hedor de los muertos.

Así Cortés exige el oro perdido en la Noche Triste, algunos indígenas, con tal de engañarlo, le dan solamente una parte, ya que el resto estaba escondido. Durante mucho tiempo Cuauhtémoc fue llevado a una sala especial donde le quemaron los pies atado a un palo para que dijera dónde se encontraba el oro de Tenochtitlan. Sin embargo, su muerte se produjo realmente fuera de su imperio, en la provincia de Acalán, en tierras mayas, el 28 de febrero de 1525 Algunos investigadores identifican esta zona con Izamcanac, en el actual estado de Campeche. En algunos documentos pictográficos como la *Tira de*

Tepechpan, quedan algunos registro de Cuauhtémoc ahorcado en una ceiba, según las narraciones del propio Cortés.

Dos cantos reflejan el final de una nación que
no solo "ponía fin" a una etapa histórica mexicana, sino a toda una civilización, la mesoamericana. Y decimos que "ponía fin", ya que realmente ni la conquista ni la cultura mesoamericana
terminaron con la caída de Tenochtitlan. Desde
entonces, los olmecas, los mayas, los zapotecos,
los mixtecos, los totonacos y los tarascos, entre
muchos otros, han visto en el México de hoy con
los grupos indígenas una tradición cultural que
aún después de los cañonazos, espadazos y tiros
de arcabuz sigue vigente:

Golpeábamos en tanto los muros de adobe,
Y era nuestra herencia una red de agujeros.
Ni los escudos fueron su resguardo,
pero ni con escudos pudo ser sostenida su sole-
dad.

(Miguel León Portilla, *Los antiguos mexicanos a
través de sus crónicas y cantares*)

SEÑORES DE LA GUERRA

5

La formación

Ha llegado a los doce años, sus padres han decidido llevarlo a una de las escuelas del calpulli. En la entrada, un sacerdote lo recibe. El joven telpochtli está a punto de recibir su instrucción, que le proporcionará una base para poder acceder a una escala social más aceptable, la de los pillis. El medio, la guerra, y la captura de prisioneros para el sacrificio. Este es su destino así como el de la gran mayoría de los varones en Tenochtitlan. Este es su designio desde que, cuando nació, sus padres ataron unas flechas con su cordón umbilical y las enterraron en el campo de batalla.

De esta forma comienza su primer día en la escuela. En ella le formarán en las artes de la guerra. Su instructor le ha pedido que elabore una estatua de piedra. El joven telpochtli, atónito ante lo que le han ordenado, comienza su labor. Ya terminada, al día siguiente, el oficial hace gala de su habilidad con la honda tirando sucesivamente varias piedras contra la escultura que el pequeño ha elaborado. Posteriormente le entrega la honda y una piedra redonda previamente trabajada por las mujeres del pueblo para que el chico intente sus primeros tiros. Terminada la sesión, le entrega un pequeño pedazo de tortilla de maíz y algo de agua. Esa es su ración de comida. Debe acostumbrarse al sufrimiento y al mal comer. Al día siguiente, el joven telpochtli se ve fatigado, le han pedido que haga una nueva escultura de madera que deberá terminar lo antes posible, ya que con ella le enseñarán el uso de nuevas armas, el átlatl o lanza dardos y el arco y la flecha. Entre la instrucción de las armas se alternaban también las enseñanzas académicas dedicadas a los cantos y la danza.

En cambio, la instrucción en el Calmecac, donde solo ingresaban los jóvenes de la clase de los pillis, era mucho más refinada, ya que no solamente consistía en enseñar el arte de la guerra, y el uso de armas más sofisticadas como las lanzas, las macanas y los bastones con filos de obsidiana, sino que también se les instruía en las artes religiosas, en el calendario, en la lectura de los códices, y en astrología, lo que por supuesto incluía la labor administrativa que en un futuro desempeñarían. A cierta edad más avanzada eran enviados a recoger algo de leña en los cerros aledaños del centro de estudios.

La educación militar estaba integrada, entre otras cosas, por rígidos entrenamientos físicos acompañados por precarias dietas alimenticias que permitían endurecer el carácter de los jóvenes aspirantes, tal como afirman algunas fuentes: "[...] para que fuesen agradables a los señores enseñábanles a cantar y danzar, industriábanlos en ejercicios de la guerra, como tirar con flecha, fisga o vara tostada, a puntería, a mandar bien una rodela y jugar la espada. Haciéndoles dormir mal y comer peor, para que desde niños se hiciesen al trabajo y no fuesen gente regalada". En el *Códice Mendocino* se indican, en la sección dedicada a la educación, las raciones específicas de tortilla que se le brindaba al varón durante su educación.

Imaginemos otro momento en las instrucciones de los jóvenes aprendices en el uso de las armas. Varios monitores llevan en fila a un grupo de 10 o 15 estudiantes, todos armados con lanza dardos y fisgas con un tipo de punta muy especial, en forma de arpón, ya que con ella los llevarán a pescar y con otro tipo de fisgas con punta doble cazarán patos, que ellos llamaban minacachalli. Los suben en varias canoas y comienza la caza. Solo se observa cómo de un momento a otro una parvada de patos revolotea en los cielos y los jóvenes telpochtlis comienzan a arrojar varas afiladas con huesos de pescado. Uno a uno comienzan a caer al lago los patos. Terminada la caza, dice uno de los monitores: "Veis, hermanos, que a un ave que va volando la tiráis y la matáis. Pues los enemigos no vuelan y a pie quedo han de morir a nuestros pies".

De regreso, otro instructor los espera en la orilla. Se han fabricado algunos tablones de madera para la siguiente prueba. Cerca de la orilla, un conjunto de mazos con navajas de obsidiana espera a los jóvenes. El instructor les comenta que deberán alancear el centro del tablón con fisgas, piedras y varas tostadas. En cuestión de poco segundos, una lluvia de flechas y piedras cae sobre los tablones, y aquellos que hacen alarde de su destreza en el uso de las armas expresan su alegría con algunos alaridos. Terminada la prueba dicen los monitores: "Los enemigos no son de madera, son de carne y hueso, como nosotros. ¿Qué no podremos hacer con ellos y con nuestras armas?". La última prueba del día es el uso de armas de choque. Para ello se ha considerado que los peñascos de las laderas de los cerros son lo suficientemente fuertes para resistir el embate de este tipo de arma. Así, los instructores preparan a los jóvenes enseñándoles el uso de este tipo de artefactos, continuamente golpean los peñascos y comentan: "¿Veis? Ahí habéis hecho pedazos la dura peña. ¿Y no haréis pedazos a los enemigos que son de carne y hueso?" (Fray Bernardino de Sahagún, *Historia general de las cosas de la Nueva España*).

Una de las enseñanzas más importantes era la captura de prisioneros, pues de ello dependían tanto pillis y, sobre todo, macehualtin para ascender en la escala social, por lo menos a estamentos de mediana importancia. Por ello se les instruía en algunas artes de pelea cuerpo a cuerpo, en la sumisión y la lucha, artes de las cuales dependía en mucho su desarrollo profesional como guerreros.

Saliendo de la escuela, el joven telpochtli es recibido por sus padres, ya cuenta con 20 años y está próximo a iniciar una de sus primeras batallas. En este caso no será una batalla sencilla, será contra el señorío de Tlaxcala, muy cercano a la Ciudad de México, y el Huey Tlatoani ha dispuesto un contingente mayor de 8.000 hombres, entre ellos él, que se encargara de llevar parte del armamento de alguno de sus instructores, quien le pondrá finalmente a prueba en el campo mismo de batalla. Antes de partir a la batalla, la madre le dice a su hijo: "Mira que te valdría más perderte y que te cautivasen tus enemigos, que no que otra vez cautivases en compañía de otros, porque si esto fuese pondrían otra oreja, que parecieses muchacha, y más te valdría morir que acontecerte esto" (Fray Bernardino de Sahagún).

Esta era parte de la instrucción militar que los jóvenes recibían en las escuelas de alto conocimiento que se guardaba, como afirma Durán, en documentos pictográficos de los cuales ahora ya no tenemos mayor referencia.

MUERTE A FILO DE OBSIDIANA

La guerra fue el motor fundamental del estado mexica para desarrollar el vasto y poderoso imperio. La filosofía místico-guerrera comenzó con el reinado de Izcóatl y, por asesoría directa, fue continuada por Tlacaelel durante toda la historia mexica y alcanzó su máximo exponente con Ahuítzotl. El estado tenía la posibilidad de entrenar, educar a sus guerreros desde muy pequeños y obtener los recursos económicos suficientes que con el paso del tiempo fueron recaudando los diversos tlatoque, para poder establecer toda la estrategia y logística necesaria para movilizar grandes masas e individuos prestos para la batalla.

Los estados militaristas del Posclásico temprano e incluso las sociedades del Clásico, como los mayas y más recientemente los teotihuacanos, practicaron la guerra en gran escala, pero nunca a los niveles del pueblo mexica. Desde el horizonte Epiclásico, el aumento de las manifestaciones militares en el arte y la arquitectura se acentúa en ciudades como Xochicalco, Tula y, sobre todo, en Tenochtitlan, donde la exacerbación por la guerra y, como veremos más adelante, el sacrificio humano llegan a su plenitud. Simplemente debemos pensar en algunos aspectos como la insularidad de Tenochtitlan y Tlatelolco como puntos estratégicos para su defensa. Además, a diferencia de otras grandes ciudades incluso de tiempos más antiguos, como Oaxaca en el Clásico, estaba construida en lo alto de un cerro para una mejor estrategia defensiva. De cualquier forma, los mecanismos con los que contaban para llevar a cabo una guerra a gran escala nunca fueron tan apabullantes como aquellos que la sociedad mexica desarrolló durante el Posclásico tardío.

En este sentido fueron dos los tipos específicos de conflicto, bien diferenciados, y que en ocasiones se funden en algunas narraciones de las crónicas españolas. Estos dos tipos básicos de guerras estaban determinados por ciertas necesidades estratégicas que se producían en el momento de desarrollar el conflicto propiamente dicho. Por un lado, se ha manejado la idea de una serie de guerras de conquista o guerras totales, en las que los objetivos principales de las campañas están determinados sobre todo por la obtención de tributo para sostener los cada vez mayores cuerpos burocráticos de los tlatoque y enriquecer las arcas del Estado, en cierta forma para la mejora de la infraestructura urbana, para el sostenimiento de la sociedad en caso de desastres y para llevar a cabo, cuando era necesario, una redistribución de los productos entre la población menos favorecida , pero sobre todo entre el estamento político, militar y sacerdotal y, en grandes momentos, para enriquecer las constantes ceremonias y fiestas dedicadas a los dioses.

Los productos destinados a tributación por los pueblos sojuzgados eran los siguientes:

Aportaciones materiales: trabajos plumarios, ropajes, productos agrícolas, minerales, artículos manufacturados, y metales.

Aportaciones en trabajo: mano de obra para las constantes obras de infraestructura de la ciudad como acueductos, templos, edificios, entre otros aspectos.

La obtención de tierras era otro de los objetivos de la guerra. El caso de las conquistas en

Xochimilco atestigua esta necesidad del Estado mexica para proveerse de tierras, ya fuera para el cultivo o para la redistribución entre sus allegados. Una de las materias principales de tributación eran también los alimentos.

El Estado mexica ejercía su control a partir de las armas, de manera que aquellos pueblos que se negaban a tributar, eran completamente aniquilados. Finalmente, este era uno de los objetivos de dichas campañas, al contrario de lo que sucede con otros imperios como el romano, en el cual la dominación política también se encontraba dentro de los planes de expansión. Solo en casos concretos como la conquista de Tlatelolco pudimos observar manipulación y control político interno por parte de Axayácatl.

De esta manera, el pueblo mexica contaba con un sistema de aprovisionamiento bastante productivo para poder establecer grandes campañas militares, como ya hemos visto en los capítulos anteriores, a lo largo y ancho de la entonces Mesoamérica.

Con ello debemos decir que era totalmente autónomo en los aspectos más importantes de la estrategia, la logística, el entrenamiento, el avituallamiento, la alimentación y el aprovisionamiento de armas.

Así, la vida del mexica estaba imbuida en todos los ámbitos de la guerra:

Sus esmeraldas
turquesas,
son tu greda y tu palma,

¡Oh por quien todo vive!
Ya se sienten felices
los príncipes, con la muerte florida a filo de
obsidiana, con la muerte en la guerra.

Esto también está atestiguado por las innumerables manifestaciones guerreras que encontramos en el arte de la época azteca: cajas de piedra, esculturas de bulto redondo, lápidas conmemorativas, piedras temalácatl y cuauhxicallis están representando expresamente los aspectos místico-guerreros que imbuían y embellecían la ciudad de Tenochtitlan. Tal es el caso de las constantes representaciones de guerreros sujetando sus armas, de animales feroces devorando corazones humanos, de águilas y jaguares, representantes de la actividad militar y el equilibrio cósmico. A ello debemos sumar las diferentes representaciones de guerreros, combates y relatos de las campañas militares aztecas que quedan patentes en muchos de los códices de tiempos de la conquista y de años posteriores, añadiendo así a nuestra lista una información realmente rica en cuanto a documentación arqueológica e histórica para conocer a fondo la estrategia guerrera de este pueblo.

Sabemos que la población de Tenochtitlan estaba por los 200.000 habitantes aproximadamente, y que un 6 % de la población debía estar presente en el ejército regular mexica, lo que implica un total aproximado de entre 20.000 y 8.000 guerreros. Esto para aquellas campañas de gran envergadura, ya que como veremos, el tipo de contingente movilizado para distancias cortas o para guerras religiosas era un poco menor. Así, un ejército regular podía llegar a avanzar cerca de 20 kilómetros diarios, según la propuesta de Ross Hassig, apoyados sobre todo en alimentos como la tortilla tostada, que tenía las propiedades de ser un alimento transportable y rico en carbohidratos, que brindaba suficiente energía para el trayecto.

En este sentido es importante resaltar algunos aspectos de la dieta mexica destinada a la actividad física y militar. Es una realidad que el cuerpo humano que está sometido a excesivas demandas energéticas debe a su vez estar complementado con una dieta que permita el buen desarrollo, en este caso, de las habilidades propias del guerrero, como son fuerza, tenacidad, velocidad, habilidad en el combate y manejo de las armas. Una persona que está sometida a un trabajo atlético constante requiere más de 2.000 calorías diarias.

Algunas fuentes informan de que los ejércitos aztecas recibían del estado diversos alimentos, producto por un lado de las constantes raciones obtenidas del tributo interno de cada calpulli y por otra del tributo externo de los grupos sometidos.

Un ejército de cerca de 8.000 hombres podía llegar a consumir cerca de 7.600 kilogramos de maíz por día, cerca de 95 gramos de maíz por persona, incluyendo una media de galón de agua por individuo, aproximadamente. Como ya comentamos, una parte era obtenida por la fuerza del trabajo agrícola del propio estado, producción que el Estado inicialmente podía redistribuir; sin embargo, la forma más eficiente de lograr abastecerse durante toda una campaña era por medio de lo que las provincias sometidas debían, obligatoriamente, entregar a los ejércitos. Esto se daba bien a través del tributo directamente, bien cuando los ejércitos reclamaban alimento al pasar cerca de las provincias sometidas para dirigirse a la campaña.

Desde el punto de vista tributario, cerca de 19 provincias enviaban alimentos como maíz, amaranto (huahutli), chía, fríjol y cacao hasta Tenochtitlan, tal como se aprecia en algunos documentos como la *Matrícula de Tributos*. Esta cantidad de alimentos se brindaba a los ejércitos a su salida a las campañas. Según Fray Diego Durán, el gobierno azteca brindaba cierta cantidad de suministros alimenticios para las campañas militares: "Que proveyesen de mucho biscocho, que eran tortillas tostadas, y mucho maíz y harina de maíz, para hacer puchas, y fríjol molido, que proveyese de sal y chile... y llevarlos al lugar que había de ser la batalla". Este autor también comenta que a los guerreros se les dotaba de una escudilla de atole de chía antes de las batallas: "Y dándoles armas a todos, mandáronles que entrasen con ánimo... y dándoles a ellos y a los que salían a descansar una escudilla de atole de chía". Sin embargo, ya avanzada la campaña era necesario que otras fuentes de alimentos llegaran a boca de los miles de soldados aztecas. Ross Hassig argumenta, como hemos dicho anteriormente, que el ejército azteca cubría cerca de 20 kilómetros por día, y la forma más sencilla de alimentarlo era a base de tortillas tostadas, alimento transportable que brindaba suficiente energía y no requería ningún tipo de almacenamiento. Un ejemplo interesante respecto al aprovisionamiento de alimentos que brindaban las provincias sometidas era apreciable en el momento en que los ejércitos mexicas se dirigían al sureste, donde se detenían en Huaxácac, topónimo anotado en la lámina de Coyolapan, donde abastecían sus trojes de maíz suficiente . Así, el aprovisionamiento de los ejércitos desde su salida hasta la llegada al campo de batalla estaba bien asegurada.

Así también era el suministro de armas, muchas de las cuales se fabricaban directamente en la ciudad mientras que otras llegaban a través del tributo, sobre todo grandes cantidades de varas para la elaboración de flechas y fisgas. Además, los pueblos aledaños también debían proveer a los ejércitos mexicas de armamento, tal como atestiguan algunas fuentes: "El señor de matlatzinco vino ante el rey... y al cabo le ofreció mil cargas de flechas y rodelas y espadas y hondas y otros géneros de armas que ellos usaban, ofreciéndole gente de guerra si era menester" (Fray Diego Durán).

En cuanto a la forma de organización del ejército tenemos información interesante derivada de las fuentes escritas:

> Es una de las cosas más bellas del mundo verlos en la guerra con sus escuadrones, porque van con maravilloso orden y muy gañanes y parecen tan bien que no hay más que ver. (Conquistador anónimo)

Estos escuadrones estaban compuestos por entre 200 y 400 guerreros, dirigidos por un capitán que se distinguía por una gran bandera en la espalda. Realmente todos los escuadrones se distinguían así, ya que cada calpulli o barrio debía suministrar cierto número de guerreros y la forma más lógica de poder reconocerse en medio de un campo de batalla era por medio de este tipo de insignias que generalmente solemos reconocer tanto en códices como en esculturas mexicas.

El atavío de los guerreros variaba en función de las órdenes militares que representara su cargo y aludía a atributos y a símbolos de ciertos dioses mexicas.

De esta forma, tenemos en principio a las órdenes más importantes: la de los guerreros águila o guerreros cuautli, y la de los mal llamados caballeros tigre (ya que, como sabemos, en tiempos prehispánicos no había caballeros y mucho menos tigres, ya que estos se habían extinguido en los últimos tiempos del Pleistoceno), por lo que debemos oficialmente llamarlos guerreros jaguar o guerreros océlotl. Los pipilltin, como hijos de la nobleza que se hubieran distinguido en la guerra podían acceder a este tipo de orden militar. Estos eran también llamados tequihuaque u hombres valientes.

Después se encontraban otro tipo de órdenes, como la de los cuahchic o guerreros rapados. Se distinguían, efectivamente, porque iban rapados y solo se dejaban crecer un mechón de pelo detrás de la oreja izquierda que se lo ataban con una cinta de color rojo y se pintaban la cara de rojo, amarillo y azul.

Y de esta manera se distinguía una gran cantidad de órdenes militares que derivan de los méritos valerosos en las batallas. Sin embargo, existen algunos problemas de interpretación sobre este tipo de méritos militares, y es aquí donde nuevamente entramos en un momento de constante confusión, ya que como veremos no es lo mismo un cautivo de guerra en una guerra de aniquilamiento por la negación al pago de tributo que un cautivo en una guerra florida, donde los objetivos son totalmente distintos. Generalmente, los rangos militares que se conocen están muy relacionados con el segundo tipo de cautivos, como veremos más adelante.

El problema de género ha sido y desafortunadamente sigue siendo un factor determinante en la actividad de hombres y mujeres. En este caso, la milicia, como ha ocurrido en casi todas las sociedades de la antigüedad, estaba reservada a los hombres, pero resalta el hecho de que en algunas ocasiones también las mujeres llegaran a participar en los conflictos armados, como es el caso de la conquista de Coyoacán, donde las mujeres defendieron su ciudad junto con los propios guerreros, tal y como atestiguan algunos documentos, como las *Crónicas* del padre Durán.

EL ARMAMENTO Y LAS TÁCTICAS MILITARES

Al tratar de analizar las armas y las tácticas militares, solo podemos hacer referencia a los sucesos llevados a cabo en los campos de batalla cuando se refiere a guerras propiamente de conquista, ya que, como veremos, debemos ser cautos a la hora de hablar de tácticas militares en las guerras floridas.

Sabemos de antemano que el uso de las armas en este particular tipo de contienda fue por demás devastadora, ya que su función primordial era aniquilar a todo aquel pueblo que se negara a dar tributo. Por lo tanto, en estas campañas militares entraba en juego todo el arsenal conocido por los mexicas, y se empleaba su función destructiva en cualquier momento del combate. Esto supone que el ejército mexica articulaba sus efectivos de acuerdo a los diversos sistemas de armamento imperantes en su estructura militar lo que representaba la articulación de una serie de unidades específicas de combate distribuidas en los diversos escuadrones. Parece ser que las fuentes escritas nos dan alguna información sobre ello y, efectivamente, es muy probable que se desarrollara en algún tipo de unidades de combate a larga y corta distancia.

Las fuentes son explícitas:

Lo primero que hacían era jugar con hondas y varas, como dardos, que sacaban con jugaderas, y echaban muy recias. También arrojaban piedras a mano. A esto seguían los de espada y rodela; y con ellos iban arrodelados los de arco y flecha, y allí gastaban su almacén". (II, 538-539). Coincide con Bernal al decir que primero actuaban arqueros y tiradores de varas por un lado y por otro guerreros con armas de corta distancia. Cortés describe la acción por separado de tiradores de átlatl, flecheros, y lanceros, y de aquellos con macuahuitl y rodelas. (Fray Juan de Torquemada)

Este texto, al igual que muchos otros, nos sugiere que los mexicas ordenaban sus filas en unidades específicas; en las primeras actuaban los guerreros con armas de uso de larga distancia y, posteriormente, entraban los guerreros de armas de choque, tal como sucede en muchos ejércitos de la antigüedad. Pero ¿cuáles eran estas armas?

Básicamente, los ejércitos mexicas contaban con los siguientes tipos de armas:

Ofensivas de largo alcance: la honda, el arco y la flecha, las lanzas arrojadizas, el lanza dardos, incluyendo diversos tipos de proyectiles. Dentro de las armas ofensivas de combate cuerpo a cuerpo encontramos en el rango largo la lanza, y en el rango corto mazos, posiblemente hachas, y el macuahuitl. Dentro de las armas defensivas incluimos específicamente el escudo y la coraza de algodón.

El arco y la flecha, llamados en náhuatl Tlahuitolli y mitl, fueron introducidos en Mesoamérica en el Epiclásico o el Posclásico temprano por los grupos chichimecas venidos del norte; es decir, fueron una innovación en el armamento sin parangón hasta aparición, por esa misma época, del macuahuitl. En el transcurso de la batalla, los arqueros mantenían las flechas en los carcaj. Podían llegar a arrojar cerca de 12 flechas por minuto, y hasta donde sabemos, en Mesoamérica no se utilizó el veneno para las puntas de estos artefactos.

El perfeccionamiento de diversos tipos de dardos dio como resultado un arsenal que tenía diversas funciones en varios ámbitos, no solamente en el militar. Por las distintas descripciones de los cronistas, encontramos también una gran variedad de nombres, tamaños y funciones, y en el registro arqueológico se cuenta con variedades importantes de puntas de obsidiana en colecciones como las del Museo Nacional de Antropología de México.

Generalmente arrojaban con la mano las rocas que encontraban a su paso, tal como atestiguan las fuentes: "[...] porque en verdad ellos no habían gana de la paz, y así lo mostraron, porque luego, estando nosotros quedos, comenzaron a tirarnos flechas y varas y piedras". (Cortés,1945:212). Pero también aprovecharon la tecnología que tenían a su alcance para poder desarrollar artefactos tan simples y eficaces como la honda, elaborada con fibras de maguey, que podría arrojar rocas expresamente elaboradas a una distancia de 100 metros y causar graves lesiones a sus oponentes.

Una parte de este arsenal se proporcionaba como parte de los tributos solicitados a los pueblos conquistados, y otra parte era suministrada nuevamente por trabajo de las mujeres y los niños, quienes se dedicaban en parte a elaborar este tipo de artefactos de los que conservamos muchos ejemplares localizados en diversos proyectos en la Ciudad de México; entre ellos los encontrados en la avenida Juárez durante el año 2000.

Las crónicas no se quedan ahí, sino que también dan testimonio de cómo los mexicas eran adiestrados en el uso de estos instrumentos para la guerra. Las lanzas de época prehispánica pudieron emplearse en el rango largo de pelea como armas arrojadizas o bien en el rango corto en la pelea cuerpo a cuerpo. Desde el punto de vista táctico, este tipo de armas cumplían la función de abrir las filas del enemigo.

El arma mexica de larga distancia por excelencia fue el átlatl, nombre derivado del náhuatl, que significa "lanza dardos". Es el arma de larga distancia a la que más mención se hace en las fuentes escritas y también la más repetida en representaciones artísticas, tanto en códices como en esculturas. Se experimentaba con ellos a distancia de más de 45 m, llegando a un extremo de 74 m al ser arrojadas por un lanzador no experimentado.

Los dardos lanzados por el átlatl tienen mayor poder de penetración que las flechas lanzadas a la misma distancia con la mano, por ello el átlatl también ha sido motivo de especulación sobre su función, permitiendo comprobar, basándonos en la arqueología experimental, cómo los cazadores y los guerreros podían utilizar esta arma con mayor eficacia, ya que permitía doblar la potencia de penetración de los proyectiles en comparación con un lanzamiento manual.

Una vez terminada la lluvia de proyectiles, los guerreros mexicas se lanzaban contra el enemigo utilizando todo tipo de instrumentos de corta distancia, desde macanas y macuahuitl a lanzas y cuchillos.

Sin llegar a confundirlo con el macuahuitl, existía otro tipo de artefacto llamado quauholloli elaborado de madera. A manera de porra esférica, tenía una función netamente contundente. Se trataba de un bastón de madera cuya parte superior estaba rematada con forma de esfera, la cual podía usarse como instrumento contundente.

El arma a la que, sin duda, mayor atención prestaron los conquistadores en el momento del combate cuerpo a cuerpo fue la mal llamada espada o macana mexica, conocida en lengua náhuatl como macuahuitl. Era un bastón de 70 cm de largo, al que se le añadían resinas especiales (generalmente de una planta llamada tzinacancuítlatl, que significa "excremento de murciélago") que eran navajas prismáticas de obsidiana de cerca de 5 cm de largo. Este artefacto ha dado mucho que decir, tanto por parte de los cronistas españoles como de los investigadores contemporáneos, sobre todo respecto a las capacidades funcionales del artefacto en los campos de batalla. Algunos cronistas han dicho sobre esta arma: "[…] que dividen a veces a un hombre en dos partes de un solo tajo, con tal que sea este el primero, pues todos los demás son casi nulos e inútiles, tales son la agudeza de esta arma y su fragilidad" (Francisco Hernández de Córdova). Algunos autores más contemporáneos han dicho al respecto que al prin-

Este monumento representa una gran procesión de guerreros armados con lanzas, escudos y lanzadores de flechas.
Museo Nacional de Antropología de México.
Foto: Marco Antonio Pacheco.

cipio de la batalla resultaba muy peligrosa, pues las puntas de obsidiana eran sumamente afiladas, mas después de algunos golpes se embotaban y el arma se convertía en una simple macana. Sin embargo, en una reciente publicación de la Real Armería de Inglaterra, tuvimos oportunidad de presentar nuestra propuesta, tras haber realizado un trabajo experimental la función de esa arma, del que dedujimos que, probablemente, algunos grupos del centro de México, principalmente en la transición entre el Posclásico temprano al tardío, la desarrollaron a partir de las nuevas necesidades técnicas en el campo de batalla, incluso cuando entre sus antecedentes se pudieran encontrar armas de formas y funciones parecidas, como las de la zona maya. Funcionalmente hablando, el macuahuitl tenía la capacidad de cortar los tejidos musculares y hacer breves fracturas en el hueso, sin amputarlo complemente. Gran parte de su filo se vería transformado en micro lascas, que al incrustarse en la herida y el hueso dificultarían la asepsia de la lesión. En cuanto a la resistencia de esta arma, podía llegar a destruirse su filo con el impacto al llegar al hueso. En caso de no estar perfectamente ajustadas con resina, podrían llegar a salir del canal, perdiendo completamente la navaja. En caso contrario, aquellas navajas bien sujetas todavía tenían, incluso después de su fractura, la posibilidad de ser utilizadas en algunos ataques. Diversas fuentes también añaden que las navajas que estaban gastadas o fracturadas eran reutilizadas para fabricar puntas de proyectil, y resalta el hecho de que, efectivamente, en el registro arqueológico encontramos muchas veces puntas de proyectil cuya base de fabricación es, efectivamente, la navaja prismática de obsidiana. Nuevamente la arqueología y la historia coinciden en sus ideas para brindar al lector datos fiables e interesantes. Un aspecto que no debemos olvidar dentro del uso de armas y los sistemas de combate son, sin duda, las armas defensivas, de las cuales son dos solamente las versiones actualmente aceptadas- Es el caso del escudo y la coraza de algodón. Del primero podemos decir estaba diseñado con una gran variedad de motivos vinculados a los rangos militares y a los atributos mismos de los dioses.

En cuanto a protección y movilidad, un inconveniente era que se ajustaba al cuerpo del guerrero a manera de chaleco muy parecido a lo que se veía en los hoplitas de Esparta, dejando los brazos del guerrero desprotegidos. Esta deficiencia podía ser suplida con el uso de los chimalli. El Conquistador anónimo se refiere así a esta arma:

> Las armas defensivas que llevaban en la guerra son ciertos sayetes a manera de jubones de algodón acolchado, gruesos de un dedo y medio y algunos de dos dedos, que son muy fuertes, y sobre ellos llevan otros jubones y calzas que forman una sola pieza, que se atan por detrás y son de una tela gruesa, y el jubón y las calzas están cubiertos por encima de plumas de diferentes colores que son muy hermosas... y ese vestido que llevan de pluma es muy a propósito de sus armas, pues no lo atraviesan saetas ni dardos , antes bien los hacen rebotar sin hacer herida, ni

siquiera las espadas pueden traspasarlos demasiado bien. (Conquistador Anónimo, 1938:89-93)

A diferencia de los escudos de tipo ceremonial, los utilizados para el combate necesariamente fueron elaborados de materiales mucho más fuertes, elaborados de cuero o pliegues de palma o bien de fuertes pliegues de bejuco con un fuerte soporte de algodón. Otro importante apoyo para el ichahuipilli era el que estaba elaborado de fibras vegetales y de algodón recubierto de sal para darle mayor dureza. Este tipo de protección tenía la gran ventaja de ser ligero, lo que permitía una mayor movilidad en el combate.

Algunas narraciones atestiguan lo siguiente: "No tenían costumbre de romper unos por otros, mas, primero andaban como escaramuceando, volviendo a veces, o las más, las espaldas, haciendo como que huían y luego volvían acometiendo a los enemigos que los habían seguido, y de aquella manera andaban un rato prendiendo e hiriendo en los postreros y después, de algo trabados y cansados, salían otros escuadrones de nuevo y de cada parte tornaban a trabarse...". (Conquistador Anónimo).

Pero las batallas no solo se desarrollaban en tierra sino que, como sabemos, Tenochtitlan estaba rodeada de agua, por tanto debía existir en cierta medida un cuerpo especializado para el combate acuático o por lo menos debían conocer algunas tácticas especiales para ello. Por esta razón, Isabel Bueno ha trabajado con acierto estos elementos afirmando que, muy probablemente, podríamos hablar de una chimalacalli o armada mexica que, entre otras cosas, podía blindar sus canoas con los mismos escudos y aplicar tácticas militares navales de gran envergadura. Recordemos que dentro del adiestramiento mexica que se daba a los jóvenes estaba arrojar algunos dardos desde las canoas a los patos en las lagunas, prueba concluyente de que, cuando fueran mayores, el uso de estos artefactos desde las canoas y el movimiento de las aguas no les impediría atinar con gran precisión al enemigo.

Sin embargo, existen otros factores dentro de la práctica militar mexica que debemos tomar en consideración, y uno de ellos pese a que para muchos investigadores resulte un poco absurdo de contestar, es si existían artes marciales en la época Prehispánica, y en caso de que existieran, en qué consistían y en qué momento de la batalla se podían desarrollar. Una explicación puede ser su uso dentro de los conflictos conocidos como Guerras Floridas o guerras rituales que a continuación pasaremos a describir.

LAS GUERRAS FLORIDAS

El objetivo básico de este enfrentamiento era capturar prisioneros vivos para llevarlos directamente a sacrificar a Tenochtitlan o Tlaxcala. Esto significa que no existía una guerra convencional tal y como la conocemos, en la que ambos bandos se enfrentan a muerte y tratan de hacer la mayor cantidad de heridos posibles. Por el contrario, en este tipo de guerras se trata de hacer la mayor cantidad de rehenes posible, lo que resulta lógico si pensamos que cuando sean llevados al sacrificio deben estar completamente limpios, ya que en muchos rituales es precisamente este factor el que determina la validez de la ceremonia, como es el caso del famoso sacrificio de rayamiento.

Pero también existen otros factores que van de la mano en este tipo de guerra. Primero, el aspecto social; segundo, el religioso, y podríamos encontrar incluso un tercer factor, que más bien sería el verdadero objetivo de estas campañas; es decir, la incapacidad del estado mexica para someter a un señorío independiente y anexarlo a sus dominios. Ante esta imposibilidad, era preferible mantener a este territorio a raya con un tipo de "convenio" antes que tratar de dominar a un perro fiero que además se dejaría vencer, me refiero al domino de los señores tlaxcaltecas ya que era precisamente con ellos con quien Izcóatl y sobre todo Moctezuma I se había pactado este tipo de conflicto desde muy entrada la historia mexica.

De esta manera, los aspectos que deben ser tratados para comprender mejor las guerras floridas mexicas son los siguientes: los objetivos, en este caso referidos a la captura de prisioneros y al sacrifico; la movilidad social que ello representaba para los jóvenes macehualtin, y uno de los últimos y poco tratados aspectos, cómo se desarrollaban los enfrentamientos en función de la táctica militar, estrategia y logística.

Como tendremos oportunidad de analizar en el siguiente apartado, el sacrificio humano era una de las prácticas más comunes del mundo mesoamericano en el Posclásico tardío, y es precisamente este ritual la última escala de toda una campaña militar en el cual se invierte cierta cantidad de individuos entrenados a los que hay que alimentar, avituallar y movilizar, pero que al fin y al cabo no resulta empresa de tanta magnitud como sería una campaña de conquista, ya que estas implicaban una mayor movilización de ejércitos, con mayores necesidades de avituallamiento, desplazamiento a mayores distancias y con mayores necesidades de estrategia y logística.

Por otro lado, se ha dicho que dentro de la escala básica de la sociedad mexica, dividida en pillis y macehualtin, estos últimos tenían oportunidad de acceder a escalas más altas a través de los méritos militares, que suponían, sobre todo, la captura de prisioneros de guerra, pero única y exclusivamente en las guerras floridas, destacando el hecho de que los niveles más altos de guerreros águila y jaguar, por dar algún ejemplo, agrupaban única y exclusivamente a gente de la nobleza, por tanto este estamento estaba en cierta forma restringido.

Social y económicamente hablando, todos estos guerreros, a excepción de los primeros, tenían la oportunidad de obtener diferentes implementos en su atavío, como insignias de prestigio, ya fueran ropas de algodón, de color amarillo, adornos y ricas mantas, además de permitirles

235

estar cerca de los grandes capitanes en las reuniones del palacio imperial. De esta manera, vemos que la práctica de la guerra florida era, fundamentalmente, una excelente oportunidad para los macehualtin para acceder a puestos de regular importancia, y ello nos lleva a entender que lógicamente en las altas escuelas de enseñanza, como son los clamecac y sobre todo los telpochcalli, a los que accedía la clase tributaria para que les instruyeran, entre otras cosas, en capturar prisioneros, ya que de ello dependía su futuro. En este aspecto, la gran mayoría de los especialistas ni siquiera han especulado sobre cómo se llevaba acabo esta instrucción; cuáles eran las técnicas de captura, seguramente desprendidas de algún sistema marcial prehispánico, cómo se desenvolvían en el campo de batalla o si existe alguna evidencia que nos permita conocer este aspecto. Y desde nuestro particular punto de vista pensamos que sí la hay, en cierta medida. Las principales fuentes para conocerlo son las fuentes escritas.

Primeramente debemos decir que se sabe que la captura de prisioneros por parte de los jóvenes novatos inicialmente se desarrollaba en grupo, tal como algunas fuentes nos lo transmiten. Pero era necesario que les dieran el crédito a alguno de los cinco para que finalmente este, llevara el premio de ascender en la escala social mexica dentro de los rangos que se marcaban oficialmente. Si en algún momento existían dudas sobre quién lo había capturado, entonces se llevaba el asunto ante unos tribunales especiales en los que un juez determinaba a quién se debía dar el ascenso. Pero esto ocurriría quizá muy al principio, pues cuando los jóvenes novatos iban adquiriendo experiencia no lograban un solo prisionero, sino cinco o seis, de manera que prácticamente todos los componentes del grupo conseguían el ascenso. Véase cómo en documentos como el *Códice Mendocino* se puede conocer el ascenso respectivo conforme al número de cautivos.

* Si iba a la guerra y no capturaba ningún prisionero, Cuexpalchicacpol. Usaba solo traje de ixtle.
* Si capturaba un prisionero en su primera batalla, Telpochtli yaqui tlamani. Usaba traje de algodón.
* Si eran dos o tres los prisioneros, se les daba mando y podían ser instructores. Podían usar el traje de Cuextecatl o Papalotlahitztli.
* Si capturaba cuatro prisioneros, se convertía en capitán mexicatl o tolnahuácatl. Podía usar el traje de Océlotl.
* Si capturaban cinco prisioneros de Huexotzingo, capitanes llamados quauhyacame. Podían usar el traje de Xopilli.

En algunas fuentes se atestigua lo siguiente:

Al mancebo que la primera vez que entraba en la guerra por sí solo cautivaba a alguno de los enemigos, llamábanle telpochtli yaqui tlamani, que quiere decir "mancebo guerrero y cautivador", y llevábanle delante del señor, a palacio, para que fuese conocido por fuerte.

Esto indica que no hay duda de que los mexicas conocían algún tipo de técnica de sumisión, así llamado por los expertos en artes marciales, que implica la manipulación del cuerpo del oponente conforme a diversas técnicas de capturas sin que necesariamente pueda existir alguna lesión grave, pues finalmente ese era el objetivo. Los guerreros mexicas estaban especializados en capturar a sus enemigos. De vez en cuando, algunas fuentes brindan detalles sobre cómo se efectuaban este tipo de capturas.

Generalmente, al término de las batallas se juntaba a todos los cautivos y se organizaban en grupos de 400, de manera que se clasificaban de acuerdo a los captores, e importancia (hasta para el propio tlatoani) de cada individuo.

Con el transcurso de los años, las guerras floridas en su estado puro llegaron a transformarse en verdaderas guerras de conquista, en las que los objetivos iniciales de capturar solo prisioneros para el sacrifico quedaban en un segundo plano, y se pasaba a las armas propiamente dichas.

Estimado lector, imaginemos por un momento una batalla florida:

Dos ejércitos reunidos en el campo de batalla están en el momento y la hora acordados. Del lado mexica se han agrupado cerca de 8.000 guerreros en contra de una movilización similar por parte del contingente tlaxcalteca. Las líneas de guerreros están alineadas, van ataviados con sus respectivos trajes de guerra y de acuerdo con sus rangos militares y órdenes a las que pertenecen, con guerreros águila y jaguar delante, seguidos de aquellos que visten trajes de tipo huaxteco, que se identifican por llevar un tocado de forma cónica. Inmediatamente después se observa a aquellos guerreros rapados, y cerca de todos ellos, hasta el final, el grupo de los jóvenes "cadetes", acompañados de sus respectivos instructores. Se escuchan alaridos, gritos; varios están nerviosos, balancean sus cuerpos, mueven la cabeza y extienden los brazos de un lado a otro como preparando el cuerpo para la refriega que se avecina. Algunos de los jóvenes están un poco amedrentados por el estruendoso ruido de los gritos de los 8.000 individuos. Entre tanto, los maestros solo les piden que se tranquilicen, que recuerden lo aprendido en las clases. Se escucha cómo un instructor dice a su alumno: "¡Vamos, recuerda cómo entrarle para atajar su brazo y derribarlo". Resulta extraño que sean muy pocos los que llevan armas y escudos, quizá sea porque no vaya a ser necesario, pues deben solo capturar a sus prisioneros, no matarlos; pero existe la consigna de que aquellos que sean demasiado obstinados para ser capturados sean aniquilados. Sin embargo, este no es el objetivo; no se trata de una guerra de conquista o de aniquilación por la falta de entrega de tributos, sinode una guerra en la que los dioses salen ganando, no los hombres.

Un viento se cierne sobre sus cabezas, las plumas resplandecen en el atardecer y en un momento de silencio en ambos bandos solo se escucha el tronido de un tambor, y sobre todo la señal esperada, una caracola que, a manera de trompeta, resuena. Es la señal, y de un momento a otro ambos bandos, con fuertes gritos, silbidos y alaridos se arrojan a correr con toda velocidad sobre las filas enemigas. Los jóvenes, por detrás, esperan el momento hasta que las primeras filas ya han entablado el primer choque. Todos los guerreros se abalanzan con furia y coraje sobre su enemigo. El objetivo: dejarlo inmovilizado y capturarlo como se pueda. El combate cuerpo a cuerpo entre miles de guerreros es un espectáculo increíble. Derribos, proyecciones, estrangulaciones y de vez en vez algunos golpes de macuahuitl cuando es necesario, y en muy pocas ocasiones se observan tiros de arco, flechas y átlatl.

De pronto, un guerrero tlaxcalteca de mediana talla se ve acorralado por dos de los instructores mexicas y cinco de los pupilos; es el momento en que los estudiantes demuestren sus aptitudes en batalla, es su primera contienda y deberán hacer gala de las artes marciales de captura que supuestamente aprendieron en el telpochcalli. Es su oportunidad de darse a conocer en el gremio militar de los mexicas. De esta forma, el primero de ellos se arroja sobre una de las piernas del guerrero tlaxcalteca; el segundo, sobre la otra; el tercero, sobre un brazo; el cuarto, sobre el otro, y el quinto toma el cuello. El guerrero está a punto de ser derribado. Así observamos cómo el tlaxcalteca hace una serie de movimientos de cadera para tratar de zafarse de los jóvenes telpochtlis. Ellos, sobre todo el primero, tratan de aferrarse a la pierna y de inmovilizarla con las suyas, que ya están desarrolladas. El problema radica en la falta de experiencia y en la capacidad de sometimiento. Finalmente, después de una lucha frenética que deja a su paso una estela de polvo, cae al suelo y enseguida es amarrado por sus captores. Muy cerca de esta escena, un segundo guerrero está aniquilando a uno de sus enemigos con un macuahuitl, ya que era casi imposible capturar a los guerreros tlaxcaltecas.

En otra escena, a unos cuantos metros, un gran guerrero tlaxcatlteca ha capturado a cerca de seis enemigos, y cuando está a punto de capturar al siguiente, se ve abatido por un guerrero águila, con el cual entabla una lucha encarnizada. Como si fuera un espectáculo, muchos otros guerreros de ambos bandos observan las capacidades y habilidades de ambos contendientes, que demuestran sobrada experiencia. Después de media hora de lucha, el guerrero mexica vence y somete al guerrero tlaxcalteca. Sabe de antemano que obtendrá un mérito suficiente , y más aún en el tipo de sacrificio al que pretenderá someterlo, el llamado sacrificio gladiatorio, en el que solamente participan aquellos guerreros que en la lucha fueron los más difíciles de capturar. En este caso se trata de un tlaxcalteca que llegara al temalácatl para contender con otros siete guerreros mexicas. Su nombre es Tlacuicole, se ha convertido en un malli o cautivo de guerra y ha sido separado entre los guerreros capturados de mayor importancia sobre todo por su arrojo y valor en el combate presentado. Sin embargo, esta será otra historia que deberemos conocer en el siguiente capítulo.

LA RELIGIÓN

6

Cosmovisión

Como en todas las culturas de la humanidad existe una explicación del orden de todas las cosas, y ese orden generalmente parte de los aspectos más generales derivados de un ordenamiento universal, generalmente establecido. Así lo hacen ver dichas civilizaciones, a través de las manos de los dioses. En este caso, el universo mesoamericano estaba sustentado por un equilibrio bastante simétrico, en el cual todas las cosas tanto divinas como terrenales se involucran en una balanza de esencias determinadas por la geometría cósmica.

Nuestra principales fuentes de investigación para el conocimiento de la religión mexica son en sí bastante abundantes. Simplemente el registro arqueológico está plagado de innumerables narraciones que hacen especial alusión a una ideología que permeaba todas las escalas y actividades de este pueblo, prácticamente desde el amanecer hasta el ocaso, desde la escala más alta, derivada de una ideología especial del Estado, hasta la más sencilla, proveniente de la vida cotidiana de los pueblos más sencillos de la antigua Mesoamérica.. Estos contextos reflejan sobre todo un contacto continuo de los hombres con lo sobrenatural, expresado por una especial alusión al equilibro cósmico en el que, según sus creencias, se encontraban inmersos.Encontramos muestras de estas interpretaciones sobrenaturales sobre todo en códices y en narraciones recogidas por los frailes, que en su afán por evangelizar a los indígenas, recogían información sobre las idolatrías de Mesoamérica, como ellos las llamaban.

Las representaciones en códices como el *Magliabechiano*, en aquellos del grupo Borgia, o en los primeros libros del *Códice Florentino* y el *Tonalámatl* de los Pochetcas, también llamado Fejervary Mayer, son una base documental para el estudio de la región mexica. A nivel arqueológico, tenemos un registro de innumerables monumentos escultóricos y artísticos que reflejan gran parte de esta ideología, además de los grandes contextos de ofrenda localizados en el Templo Mayor y otros sitios del Posclásico del altiplano, que reflejan claramente los rituales de estas sociedades.

Para Alfredo López Austin, una de las máximas autoridades en el estudio de las religiones mesoamericanas, la cosmovisión debe ser entendida como un hecho histórico que se presenta como producto de las relaciones cotidianas de los hombres entre ellos mismos y con la naturaleza.

Realmente, hablar de una cosmovisión teotihuacana y una cosmovisión mexica es, en esencia, casi hablar de lo mismo, ya que en ambos casos las características más profundas, "el núcleo duro" (diría López Austin), se mantiene con el paso de los siglos, y la diferencia radica en la forma de expresión de esta cosmovisión, en cómo cada sociedad en el tiempo y espacio de la historia mesoamericana se presenta, incluyendo una serie de detalles que indican una cierta evolución de dicho pensamiento.

En resumen, existe una fuerte unidad de los pueblos mesoamericanos en torno a las ideas religiosas, pero a su vez existe una fuerte pluralidad en función de la manera en que esa unidad es expresada por cada pueblo.

Así, en lo referente a los dioses, el Tláloc de los mexicas es lo mismo que el Cocijo de los zapotecos; solo cambia en nombre y en algunas características, pero en esencia en Oaxaca y en Tenochtitlan sigue siendo el dios de la lluvia.

Cada uno de estos aspectos "esenciales de la cosmovisión mesoamericana va en algunos casos cambiando, evolucionando y transformándose, en tanto que otros se mantienen; esta es actualmente una de las principales líneas de investigación sobre religión mesoamericana; es por ello por lo que podemos hablar de una tradición mesoamericana que, increíblemente, todavía per-

manece en el seno de las comunidades indígenas del México actual, y que aunque ya está fundida con las creencias religiosas europeas, no deja de ser una fuente de vital importancia en el conocimiento de esta religión, algo que no siempre sucede en las sociedades de la antigüedad.

Para poder comprender todo lo que permeaba en la vida religiosa de los antiguos mexicas, debemos partir de las ideas más generales sobre lo que para ellos era la geometría cósmica; es decir, cuál era la distribución del universo y en qué espacio de este se habitaban tanto los seres sobrenaturales, caracterizados sobre todo por ser imperceptibles, ocultos, misteriosos y peligrosos, como aquellos que representan a la naturaleza misma.

La geografía cósmica está explicada a través de varios mitos que hablan de una separación de los cielos y la tierra. Uno de ellos habla de cómo, por mandato divino, un monstruo mítico llamado Tlaltecuhctli fue dividido en dos partes: en la superior, los cielos, y en la inferior, el inframundo. Pero la parte natural de este ser fantástico, la tierra, quedó entre ambos mundos, y para evitar que regresara a su estado original, se colocaron cinco árboles cósmicos en medio. De esta forma

Espacio horizontal del universo conceptualizado
por los mexicas con los cuatro rumbos cardinales y al centro
un dios armado con lanza dardos precide la escena,
se trata de Xihutecutli, dios del fuego. Tonalámatl de los
pochetcas, lámina 1.

se establecía la geometría vertical del cosmos. Antes de continuar, debemos resaltar que todas las cosas en el universo mexica estaban plagadas de una serie de sustancias esenciales. Estas sustancias proporcionan las características propias de cada una de las materias con las cuales todas las cosas están hechas. Lo sobrenatural, elaborado con una materia ligera, es en esencia imperceptible e indestructible, y lo natural, perceptible y destructible. Cada una de estas materias, como ya hemos dicho, está cargada de una serie de esencias o sustancias cósmicas con una serie de características de opuestos; materia caliente, luminosa, alta, masculina, viva y seca, y materia fría, oscura, baja, femenina, muerta y húmeda.

Todo lo que habita en los cielos está en su mayor parte creado a partir de la primera materia, caliente, luminosa, alta, masculina y viva, mientras que todo lo que habita en el inframundo está cargado de una materia fría, oscura, baja, femenina muerta y húmeda. Pero no todo en el universo vertical mexica era tan estático. La dinámica de estas sustancias se movilizaba a través de los cinco árboles cósmicos, de manera que las sustancias calientes bajaban al inframundo y a su vez las sustancias frías subían a los cielos, de forma que en la parte de los cielos confluía en cierta manera lo frío, y en el inframundo, lo caliente, con sus respectivas características binarias. Pero era finalmente en la tierra, el centro de ambos sitios, donde se encontraban los hombres, donde ambas sustancias se mezclaban en un movimiento helicoidal que los mexicas representaban bajo un glifo llamado Malinalli. Finalmente, esta geometría binaria estaría compuesta por 18 partes verticales. Con una parte del monstruo divino se formaron los nueve pisos del inframundo, y con la restante, los nueve cielos, incluyendo otros cuatro que conformarían los de la tierra misma. Así se habla de trece cielos y nueve niveles para acceder al inframundo o mundo de los muertos.

Por ello, todas las cosas con las que el hombre mexica habitaba, tanto naturales como sobre naturales, estaban clasificadas en algún tipo de estas esencias binarias universales, como los animales, los alimentos, las enfermedades, los propios humanos y, por supuesto, los dioses. De esta manera, el equilibrio cósmico siempre estaba dado por una serie de opuestos que podrían, en cierta manera, equipararse con el concepto chino del yin y el yang. Este aspecto también tuvo influencia en las esferas políticas, económicas, militares y sociales. Así, por ejemplo, a nivel político mucho se ha dicho que Tenochtitlan es el principal referente de lo caliente, lo masculino, el sol, el águila, la guerra, y de Tlatelolco como su opuesto, lo frío, lo femenino, la luna, el jaguar, el comercio.

Pero la geometría cósmica no era solo vertical, también se podía vislumbrar a nivel horizontal, representada por los cuatro rumbos del universo dentro del cual la misma Tenochtitlan y sobre todo el Templo Mayor ejercían la función de ser el centro de ese universo, en cuyo nivel vertical confluían las esencias del universo.

En cada uno de estos puntos cardinales se encontraba posado uno de los árboles cósmicos antes mencionados, y por supuesto el quinto se encontraba en el centro. Así, eran representados por colores; por ejemplo, al norte se colocó una ceiba blanca; al este, una de color rojo; al oeste, la negra, y al sur, la amarilla, mientras que la del centro era de color verde.

El Panteón azteca

Resulta paradójico que entre los mexicas la partícula Téotl se refiera a dios como paternidad y firmeza, mientras que en el mundo griego sea tan parecido lingüísticamente a Theos, que significa brillar o resplandecer. Es el doctor León Portilla, una de las máximas autoridades en el estudio de las religiones del mundo mexica, quien nos deja entrever este aspecto de la lingüística. Nuevamente debemos hacer referencia al hecho de que los dioses que llegaron al pueblo mexica ya tenían, en su mayoría, una larga tradición en torno a su culto y creencia, desde los olmecas hasta, por supuesto, los toltecas. Prácticamente dentro del panteón mexica son muy pocos los dioses que podemos justificar como de creación propiamente mexica.

En el mundo mesoamericano, como ya vimos, no podemos hablar de dioses totalmente buenos ni malos, como sucede en el mundo clásico. Por el contrario, y como ya vimos, las ausencias universales están impregnadas en cada uno de estos personajes. Debemos decir que los dioses mexicas tenían las siguientes características:

Ocupaban todos los espacios del universo, y residían en todas las cosas como cargas divinas. Presentaban una materia ligera, que los convertía en seres imperceptibles, y solo con una serie de técnicas especiales era posible acceder a ellos. Eran inmortales, lo que implica no aniquilación y transformación.

Pero una de sus características más singulares era que algunos dioses podían fundirse con otros para crear uno solo, y a su vez cada uno podía separar sus atributos para mostrar distintas individualidades divinas. Es lo que López Austin ha identificado como la fusión y fisión de dioses, muchas veces mostrada en la misma iconografía de algunas piezas y en las representaciones en códices.

De esta manera, la dinámica de esta geometría cósmica está también presente en los dioses mexicas. Así, otra de las funciones que los mesoamericanos atribuían a los dioses era la creación de seres humanos a partir de su propia sustancia. Esta proporciona las características a los grupos creados, guía a los hombres a la tierra prometida, toma posesión de los seres humanos y actúa con ellos.

Esta es la versión que dan algunos de los cronistas españoles al hablar del panteón mexica:

No había duda de los ídolos de México, por haber hecho muchos templos y muchas capillas en las casas de cada vecino, aunque los

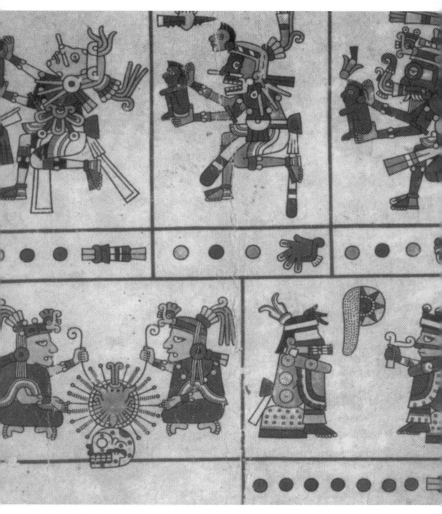

Tres dioses principales del panteón mexica fueron pintados
en este documento en su mitad superior. A la derecha Tláloc
pintado de color negro. Al centro probablemente el dios de
los muertos Mictlantecuhtli y a la izquierda
Tlahuizcalpantechutli "el señor de la casa del alba".
Tonalámatl de los pochetcas, fol. 25.

nombres de los dioses no eran tantos; mas, sin embargo, afirman pasar de dos mil dioses y cada uno tenía su propio nombre, oficio y señal. (Francisco López de Gomara, *Historia de las Indias y de la conquista de México*)

Existe una deidad que ha causado gran polémica y confusión entre los investigadores, y es que aúna las sustancias divinas de los opuestos ya mencionados, pues este dios está compuesto por sustancias tanto femeninas como masculinas, de manera que de esta unión de sustancias opuestas y complementarias se crean los demás dioses. Nos referimos a Ometéotl, que significa "Dios dos". De este dios supremo se derivan las demás parejas de dioses, tanto masculinos como femeninos, cuyas características están presentes tanto en sus atavíos y poderes como en su personalidad propia.

Dentro de la jerarquía del panteón mesoamericano reconocemos varios tipos de dioses. De acuerdo con López Austin, como era de esperar, el ámbito de lo frío, lo terrestre y lo lunar estaba presidido en su mayoría por deidades femeninas, como son Tlazoltétol, Toci, Cihuacóatl, junto con el dios Tláloc, dios de la lluvia; mientras que los dioses masculinos como Xiutecuhtli y Huitzilopochtli presidían el nivel contrario, solar y celeste.

Un ejemplo de este tipo de dioses también lo encontramos en los llamados dioses patronos, que como ya vimos crean, protegen y brindan las características a grupos de humanos específicos. En este caso, el dios patrono de los barrios mexicas o calpullis era Calpultéotl. La profesión de cada uno de los barrios era designada por las características de los dioses del calpulli. Sabemos, por ejemplo, que en el barrio de los pochetcas o comerciantes el dios Yacatecihtli, "señor de la nariz", fungía finalmente como su deidad patrona.

En escalas mayores, la mayoría de los dioses que vemos en el panteón mexica fueron adoptados, ya fuera de su pasado o de las sociedades contemporáneas con quienes les tocó vivir. Otros tantos, los menos, fueron realmente inventados por los mexicas.

Dentro de los dioses masculinos ubicados en el panteón azteca se encuentran por antonomasia su dios patrono, representante de la guerra y por tanto un oficio que brindaría a su pueblo, vinculado con el águila y con el sol. Nos referimos a Huiztilopochtli, deidad que hasta antes de la migración mexica realmente no había sido concebida por ningún pueblo mesoamericano. Resalta el hecho de que dentro de la escultura mexica no exista una representación clara de este dios, pese a que algunos investigadores deseen encontrar su representación en las imágenes de monumentos como el Teocalli de la Guerra Sagrada, expuesto en la sala mexica del Museo Nacional de Antropología. Esto se explica también porque su imagen estaba elaborada con una semilla muy popular en México, conocida como amaranto, con la cual actualmente se elabora un dulce típico mexicano llamado alegría. Este Huitzilopochtli de amaranto, al que algunos se refieren simplemente como una serie de "bledos", se colocaba dentro del recinto dedicado a esta deidad en el Templo Mayor y se pegaba con la sangre de los sacrificados para que, una vez terminadas las ceremonias, algunos sacerdotes terminaran por comérsela, eliminando de esta forma todo tipo de evidencia arqueológica. Dentro de la quinta temporada de exploración del Proyecto (anexo) Templo Mayor tuvimos la opción de hacer algunas excavaciones dentro de la etapa II del recinto de Huitzilopochtli, por dentro de una banqueta con el fin, entre otras cosas, de obtener datos a este respecto y debo aclarar al lector que realmente poco fue lo que encontramos en esta ocasión.

Prácticamente igual de importante, y compartiendo con Huitzilopochtli la capilla principal del Templo Mayor, se encontraba Tláloc, dios de la lluvia identificado por sus anteojeras formado por dos culebras de agua que se entrelazan y forman los ojos y la nariz de esta deidad, y al abrir sus fauces forman la boca del personaje. Tláloc, quizá uno de los dioses más famosos de toda Mesoamérica, fertiliza la tierra para que de ella surja el preciado alimento, el maíz, y es quizá por esta razón por la que el Templo principal de los mexicas ha sido relacionado con dos de las más importantes actividades que regían la economía mexica: por un lado la guerra y el tributo vislumbrado por Huitzilopochtli, y por otro la agricultura, representado por Tláloc. Estas interpretaciones han sido originalmente expuestas por el maestro Eduardo Matso.

Sin embargo, a diferencia de Huitzilopochtli, Tláloc no es propiamente una invención mexica, pues bien sabemos que ya desde el Preclásico se le adoraba en otras sociedades mesoamericanas, aunque debido a su gran importancia agrícola siempre fue motivo de culto en prácticamente todas las culturas mesoamericanas, con sus respectivas representaciones locales y nombres.

Con el paso del tiempo, también se fueron produciendo modificaciones en la representación del dios. Por ejemplo, en Teotihuacan aparece representado como dios benefactor; en su región principal, el Tlaolcan, aparece arrojando semillas de maíz, y a partir del Epiclásico y entrado sobre todo el horizonte Posclásico, no solamente Tláloc sino todos los dioses empiezan a adoptar un carácter netamente belicista, pues ya no solamente aparecen como benefactores de la humanidad, sino también como dioses guerreros, y esto se ve acentuado en las representaciones que tenemos de ellos en Tula y, por supuesto, en México Tenochtitlan. Uno de los principales atributos que proporcionan a estos dioses su carácter militar es que están constantemente sujetando entre sus atributos un chimalli o escudo.

Ya hemos mencionado a otros como Yacatechutli, dios de los comerciantes, que entre otras cosas se representa sujetando un gran bastón; Tonahtiú Xiuhtcutli, deidad solar representada en el centro de la Piedra del Sol; Tlaltecuhtli, deidad terrestre que se encargaba entre otras cosas de devorar los cuerpos de los muertos y de la cual se ha recuperado en las recientes exploraciones del Templo Mayor la más grande escultura antes vista; Mictlantecuhtli, amo y señor del mundo de los muertos, fácilmente identificable por estar prácticamente descarnado, con el rostro cadavérico y muchas veces también representado con los cabellos enmarañados o Xochipilli, dios de la música y la danza, caracterizado por estar tatuado con una serie de flores en su cuerpo.

Tezcatlipoca, vinculado al mundo de la oscuridad y representado por el jaguar, fue otra de las principales deidades a las que rindieron culto los mexicas. Su principal atributo era precisamente tener una pierna amputada y, en su lugar, tener un espejo humeante. Sobre los alimentos, los mexicas contaban con dioses como Cintéotl, "el dios del maíz".

Existe un tipo de deidades heredadas de los antepasados o bien adoptadas de otras regiones de Mesoamérica. Una de estas deidades ha tenido una trascendencia sin parangón en la historia mesoamericana; nos referimos a Quetzalcóatl, la famosa "Serpiente emplumada" que además de contar con una larga tradición de culto también tiene un fuerte trasfondo político y cultural, sobre todo en las sociedades del altiplano central. Ya hemos visto cómo, desde el Posclásico tardío e incluso desde el Epiclásico, se produjo un auge al culto de la serpiente emplumada en sitios como Xochicalco, y sobre todo en Tula, bajo su gobernante y sacerdote Quetzalcóatl, que tiene sus principales antecedentes en Teotihuacan. Mucha

de la ideología militarista que comenzaba a imperar en estos periodos previos a la época mexica se encontraba relacionada con el culto a la serpiente emplumada, llevando de esta forma un nuevo orden político y religioso en donde sus gobernantes se hacían llamar Quetzalcóatl en el altiplano central; Kukulkan, en la zona maya; Kucumatz, en Guatemala. Finalmente, entre los mexicas fue adoptado bajo una de sus más interesantes advocaciones como el dios del viento, es decir como Ehécatl-Quezalcóatl, cuyo templo principal de forma circular se encontraba en el centro de la gran ciudad de Tenochtitlan, enfrente del Templo Mayor.

Otro dios que los mexicas adoptaron de su pasado inmediato fue el dios viejo del fuego, Huehuetétotl, que tenía su principal antecedente en el Preclásico superior, con culto en sitios como Cuicuilco, y que pasó después por Teotihuacan y la costa del Golfo hasta terminar por adaptarse a la versión mexica. Se trata de un personaje de edad avanzada; es un dios viejo, que se caracteriza por estar sentado y sostener en su espalda un gran recipiente que representaría un volcán, por lo menos esta es la acepción más generalizada que se dio desde el Preclásico.

Entre los dioses que fueron adoptados de las regiones vecinas se encuentra Xipe Totec, "nues-

El dios Tezcatlipoca, señor de la oscuridad.
Códice Florentino, Lib. I, f. 10r

tro señor descarnado", que deriva de las regiones de la costa del Golfo y que estaba relacionado con los cambios de estación y, en cierta manera, con la fertilidad de la tierra y al cual, como veremos más adelante, se honraba con macabros rituales de desollamiento de víctimas sacrificadas; por ello se le conoce como "nuestro señor el descarnado", precisamente identificado por ser un personaje que lleva colocada la piel de un sacrificado.

De las regiones chichimecas fue adoptado el afamado dios cazador, Mixcóatl, "Serpiente de Nubes", que se caracteriza por el uso del arco y la flecha.

De entre las deidades femeninas, dos de las más importantes están vinculadas al famoso mito en el cual las estrellas y la Luna son vencidas por el dios tutelar mexica Huitzilopochtli. En este caso, la diosa tierra, que alimenta a hombres y dioses, es representada como la de las faldas de serpiente, la diosa Coatlicue, representante de la tierra y su fertilidad. Esta diosa ha sido magistralmente consagrada por su afamada representación en piedra ubicada en las colecciones del Museo Nacional y por sus intrincadas representaciones en diversos códices como el *Florentino*, y está caracterizada sobre todo por su falda elaborada de serpientes.

Otra protagonista de esta historia ya antes narrada es la diosa Coyolxauqui, "la de los cascabeles en el rostro", que como sabemos fue arrojada del cerro de Coatepec por el enfrentamiento con Huitzilopochtli, y de la cual existen diversas representaciones en piedra y hasta contamos con la extraordinaria versión en piedra verde del Museo Peabody en los Estados Unidos. Esta diosa, como sabemos, es la representante de la Luna, de lo femenino y lo frío, todo lo contrario de Huitzilopochtli. Nuevamente encontramos esta incansable lucha de opuesto, esta era la vida de los mexicas.

La pareja por antonomasia del Señor de los muertos fue Mictecacihuatl, también representada como un personaje femenino en estado de putrefacción y con el rostro cadavérico, descarnado y con algunos rosetones de papel plisado en su tocado, característico de este tipo de dioses de la muerte.

Pero no todas las deidades femeninas estaban vinculadas a la oscuridad, también se cuenta con dioses que se relacionan mucho con la fertilidad del la tierra, la alimentación y las aguas, tal es el caso de diosas como Chalchitutlicue, la de las faldas de jade, que es la representante de los lagos y los ríos; Xilonen, representativa diosa del maíz .

De esta forma, las deidades mexicas, como verán, son múltiples y cumplen variadas funciones, que finalmente se entrelazan unas con otras. Los ritos y las ceremonias que se les dedicaban cada día y mes del año están registradas perfectamente en los calendarios. La actividad eclesiástica en México Tenochtitlan era bastante dinámica, y mucho de ello ha sido reconstruido a través, por un lado, de las crónicas españolas, y por el otro, de los innumerables contextos de ofrenda que han podido recuperarse en el Templo Mayor en la Ciudad de México.

SANGRE PARA LOS DIOSES

> [...] y es que todas las veces que alguna cosa quieren pedir a sus ídolos, para que más aceptasen su petición, toman muchas niñas y niños y aun hombres y mujeres mayores de edad, y en presencia de aquellos ídolos los abren vivos por los pechos y les sacan el corazón y las entrañas y queman las dichas entrañas y corazones delante de los ìdolos y ofreciéndoles en sacrifico aquel humo.(*Cartas de Relación*, Hernán Cortés)

Esta es una de las innumerables narraciones que los cronistas españoles presenciaron cuando se enfrentaron cara a cara a uno de los más macabros espectáculos que la cultura mesoamericana les brindó en su estancia en México Tenochtitlan. Son ya muchas y variadas las confabulaciones e ideas que sobre el tema del sacrificio humano mexica se han planteado. Mucha tinta, tanta como sangre, se ha derramado para presentar una serie de postulados sobre uno de los temas más interesantes, polémicos y poco concebibles de la historia de la humanidad y de toda Mesoamérica; el afamado ritual del sacrificio humano mesoamericano.

Aún en pleno siglo XXI nos seguimos cuestionando el por qué de estos holocaustos y de la obsesión por la aniquilación de seres de nuestra misma especie con afán de ofrecer su sangre a los dioses.¿Cuál era el objetivo? Hasta ahora se han planteado muchas hipótesis, desde las más absurdas, como proveerse de proteínas y carne, ya que debemos recordar que después de algunos de los rituales se practicaba la antropofagia, hasta postulados en los cuales se indica como forma de intimidación y estrategia política del estado mexica hacia sus enemigos.

Algunos de los trabajos más serios a este respecto, como el trabajo de Yólotl González Torres y el reciente estudio de Michael Graulich, son un buen instrumento para acercarse de manera concreta a este problema en el mundo mexica.

Las fuentes de investigación que poseemos para conocer este tipo de rituales no dejan lugar a dudas, como muchos han querido ver, sobre la veracidad de este tipo de acciones en la sociedad mexica. Contamos, como siempre, con las narraciones cronistas que estuvieron presentes en este tipo de actos. Los documentos pictográficos están empapados de abundantes imágenes de las distintas formas de llevar a cabo el sacrificio, como es el caso del *Códice Magliabechano*, el *Códice Durán* o el *Códice Florentino*, entre otros. Y finalmente la arqueología y sobre todo la antropología física han brindado un especial caudal de información derivado del análisis osteológico en el cual los indicadores del acto del sacrificio son innegables. Por otro lado, los trabajos de arqueología experimental han permitido, en buena forma, conocer cómo se desarrollaron estos rituales.

Son varios los factores que deben tomarse en cuenta para conocer este tipo de sacrificio. Para Yólotl González, el Tlacamictiliztli o "muerte ritual de un ser humano" era el rito con el cual debía culminar en Tenochtitlan cualquier ceremonia de gran importancia. Recordemos que Moctezuma mandó sacrificar a diversos individuos antes de recibir a los enviados de las costas. Era necesario llevar a cabo un ritual de tal envergadura ya que estos personajes "habían hablado con los dioses", y con esta muerte se liberaba la energía para conservar la armonía de esta geometría cósmica antes mencionada, ya que, como hemos dicho, los dioses, en algún momento, se sacrificaron por los hombres. Ahora les tocaba a ellos alimentar a los dioses y mantener este equilibrio. Los mexicas vivían totalmente amedrentados por si el sol, que necesitaba sangre, nunca más volvía a resurgir y por tanto la fertilización de la tierra y todo lo que la naturaleza les brindaba terminaba por desaparecer. Pero esto también significaba pagar una deuda, como ha afirmado Graulich, con una ceremonia en la cual brindan su sangre a sus creadores por el beneficio de la vida.

Desde otro punto de vista, el sacrificio humano se transformaba en un acto de brutalidad con el cual se podía acceder a esa sobrenaturalidad, en este caso a la sustancia ligera e imperceptible de los dioses, que finalmente era poco conocida en circunstancias normales.

Los sacrificios humanos se convirtieron en una obsesión para los mexicas, pues anualmente ofrecían 15 mil individuos de todas las edades.En dichas ceremonias había niños, jóvenes, adultos, hombres y mujeres, todo con el fin divino de pedir beneficios para la sociedad, los gobiernos y, en muchos casos, beneficios personales.

Existía también el acto del auto-sacrificio, es decir, una ceremonia de tipo individual que permitía acceder a los dioses con una auto mortificación. Esta mortificación del cuerpo se lograba clavándose espinas de maguey o procurándose heridas con navajas de obsidiana en diversas partes del cuerpo, sobre todo en aquellos lugares donde el sangrado fuera más abundante, como en los lóbulos de las orejas, los brazos, las piernas y el miembro viril.

Los que ofrecían a las víctimas a los dioses para beneficiarse con su sangre iban desde guerreros y mercaderes a gente de mucho poder económico y político, y en ocasiones el mismo estado mexica, muchas veces a través del propio tlatoani.

Nadie escapaba al sacrifico humano, por ejemplo los niños, que eran generalmente ofrecidos a los dioses del agua para propiciar las lluvias, ya que generalmente se les pintaba de color azul antes del sacrificio para que pudieran parecer pequeños ayudantes del dios Tláloc, llamados tlaloque, y de esta forma, parte de los rituales podía consistir en arrojarlos a ríos o lagos o bien decapitarlos para posteriormente colocar sus restos craneales y cervicales en algunas ofrendas dentro del recinto dedicado a esta deidad en el Templo Mayor, como se ha podido corroborar en algunas de las exploraciones de este sitio.

El caso de las mujeres era también relevante, ya que propiciaban la fertilidad de la tierra. Por ello, muchas chicas de entre 18 y 20 años, por lo general vírgenes, eran ataviadas como diosas para después llevar a cabo el ritual característico. A este tipo de personajes a los que antes del sacrificio se les ataviaba como dioses se les denominaba Ixiiptlas.

Casos muy parecidos figuraban entre los hombres, quienes por citar un ejemplo eran ataviados como el dios Tezcatlipoca, pintados de color negro, y se les ofrecían algunas mujeres días antes del ritual. Después se les brindaba una flauta característica de este dios, de las cuales arqueológicamente aún tenemos algunos ejemplares, que comenzaban a tocar, subiendo por las escalinatas del templo dedicado a esta deidad para concluir con la extracción del corazón y después arrojar su cuerpo por las escaleras del templo. Se piensa que un 90 % de los cautivos de las guerras floridas podían llegar al sacrificio.

El grupo de ejecutores dependía del tipo de sacrificio que fuera a celebrarse. Sabemos más, por ejemplo, de aquellos que llevaban a cabo el tipo de sacrificio más común, el de la extracción del corazón. Era un grupo de seis sacerdotes es-

Téchcatl o piedra de sacrificios
con el glifo de la ciudad de Chalco.
Museo Nacional de Antropología, México.

pecializados, quienes participaban del ritual del
la siguiente manera: cinco sacerdotes, que eran
conocidos como los chalmeca, "ayudantes",
mantenían a la víctima encima de la piedra de
sacrificio. Cada uno sujetaba una de las extremi-
dades de la víctima, un quinto, la cabeza; todo
ello con el objetivo de que la víctima no se
moviera y también para mantener el pecho en
una posición propicia para la extracción. Un
sexto, mucho más especializado, llevaba a cabo
el acto de extracción con un cuchillo de pedernal
y no de obsidiana, como generalmente se ha
pensado. Sabemos esto sobre todo por las fuentes
escritas y por la gran variedad de cuchillos de
sacrifico elaborados de pedernal encontrados en
el Templo Mayor. Algunos especialistas en obsidiana como Alejandro Pastrana lo corroboraron
tras llevar a cabo exhaustivas investigaciones.

Las fuentes son muy claras en torno a cómo el
sacerdote llevaba a cabo esta extracción del corazón; pero si somos un poco críticos en la forma de
desarrollar este tipo de muerte debemos pensar que
la caja torácica y sobre todo el esternón son realmente difíciles de romper con el golpe de un
cuchillo de estas características. Además, debemos
decir que hasta ahora no se ha encontrado en la
evidencia osteológica de contextos arqueológicos
mesoamericanos el caso de ningún individuo que
tenga huellas de tener el esternón completamente
fracturado, pero sí con algunas huellas de corte,
como han confirmado algunos trabajos que han
desarrollado investigadores como Carmen Pijoan y
Arturo Talavera, con los que podemos llegar a

reconstruir la manera en que pudo producirse este tipo de muerte por extracción.

Después de practicar con restos cadavéricos de mamíferos se pudo llegar a esta conclusión: hipotéticamente, se debía abrir por debajo del esternón, muy cerca de la boca del estómago, para que por esa hendidura pudiera el sacerdote meter la mano y extraer el corazón, de forma que el cuchillo propiamente dicho solo serviría ya para poder cortar con firmeza las venas que conectan con el corazón. Parece un poco escalofriante esta escena, pero es finalmente una forma de explicar cómo se llevaban a cabo tales sacrificios, y sobre todo cómo se realizaban a tan gran escala. Pese a ello, es interesante mencionar que se han recuperado algunos restos óseos pertenecientes al hueso del esternón y algunas costillas, en las que se han encontrado algunas marcas de corte, sobre todo en la sección de las inserciones musculares.

Recordemos que con Ahuítzotl se llegaron sacrificar, supuestamente, más de 80.400 prisioneros, lo que por supuesto resulta muy exagerado, ya que necesitaríamos a un sacerdote que estuviera todo el día sin parar arrancando el corazón a esa cantidad de individuos. Sin embargo, dadas las constantes evidencias que tenemos en todos los registros históricos y arqueológicos, resulta innegable que este tipo de muertes, como muchas otras, se llevaron a cabo en el México antiguo bajo la ceremonia de este tipo de rituales sangrientos.

Pero existían algunas otras muertes rituales, como la muerte por disparos de flecha, por ahogamiento, por abrasamiento, por enterramiento, por lapidación, por estrujamiento en una red, por decapitación o degüello. En ocasiones, se podían llegar a combinar dos tipos de muerte ritual, aspecto que no debe ser confundido con los rituales post muerte de los que hablaremos más adelante.

Existe la creencia popular de que los sacrificados generalmente iban gustosos a este macabro ritual, pero realmente había de todo, desde aquellos que se vanagloriaban por ello, hasta aquellos que debían ser literalmente arrastrados a la piedra de sacrificios, horrorizados.

Ya hemos mencionado que una buena parte de los individuos que eran llevados al sacrificio eran propiamente cautivos de las guerras floridas, ya que aquellos que eran cautivos de guerras de conquista no se tenían en cuenta para el ascenso social. Uno de ellos, si recordamos, fue capturado en un campo de batalla, el tlaxcalteca Tlahuicole. ¿Qué ocurrió con este personaje después de su captura en la batalla que hemos narrado antes?

Los guerreros llegaban a Tenochtitlan desfilando con sus respectivos rehenes, y aquel guerrero águila que había podido capturar a Tlahuicole lo llevaba dentro del grupo de mayor importancia. Desde la entrada, el tlatoani lo observa. Un grupo de cuauhuehueteque o sacerdotes ya veteranos recibe a los guerreros en medio de un gran alarido por parte de todo el pueblo. Por detrás de ellos, los grandes maestros de los barrios también hacen el recibimiento. Tendrá el privilegio de presentarlo en uno de los métodos de sacrificio que más prestigio dan al gremio militar, el sacrificio gladiatorio.

Mandan traer flores, perfumes y bellos ropajes, incluso armas, con las cuales expondrán a sus respectivos cautivos, sobre todo a los guerreros de alto nivel; entre ellos el guerrero águila que ha capturado a Tlahuicole. De esta manera, Tlahuicole y sus colegas capturados comienzan a bailar y a proferir una serie de gritos, como si estuvieran en un campo de batalla, mientras que los sacerdotes los señalan para designarlos como los próximos "hijos del sol".

Todos los guerreros que han capturado enemigos se acercan al Templo Mayor y hacen una especial reverencia a su dios Huitzilopochtli. Después rodean el temalácatl o piedra del sacrífico gladiatorio y se dirigen al templo de Cihuacóatl para hacer algunas reverencias más. Este es un ritual de presentación de los cautivos.

Ahora llevarán a todos los guerreros capturados a una estancia especial, los malcalli o casa de los cautivos, para que unos mayordomos curen las heridas leves que sufrieron durante la refriega, los alimenten y los preparen para los respectivos rituales de sacrificio. Sobre todo a aquellos que subirán al temalácatl, piedra del sacrificio gladiatorio, que no deben tener ningún tipo de herida, ya que las características del ritual así lo exigen. No podían escapar de estas "cárceles" especiales, ya que si esto sucedía, serían tildados de cobardes en sus pueblos, paradójicamente.

Puede ser que el destino brinde una mala pasada a Tlahuicole, y la mañana siguiente sea el momento de morir en la piedra de sacrificios, pero realmente, si tiene suerte, solo lo llevarán a danzar por las mañanas y lo recluirán de nuevo en su celda hasta que algún día del año le toque la mala suerte o quizá la gloria de ser sacrificado.

Pasaron los meses hasta que llegó el llamado mes de Tlacaxipehualiztli, en el cual se le rendía especial culto a Xipe Totec, el señor descarnado. En este fiesta se llevaba a cabo el ritual en el cual Tlahuicole tendría que participar para ser sacrificado, el rito del rayamiento. Así, Tlacuicole fue llevado al Calpulco, donde pasaría toda la noche en vela junto con los ofrendantes y los miembros de uno de los calpulli. Muy cerca de lo que correspondería a la media noche, el guerrero ofrendante llegó para quitarle un mechón de pelo y llevárselo para guardar. Todo estaba dispuesto para que este solemne guerrero tlaxcalteca muriera en este afamado ritual. Decimos afamado ya que también se trataba de un sonado espectáculo en el cual se invitaba a todos los grandes señores de los alrededores. Los nobles e incluso la gente del pueblo presenciaba el espectáculo.

Tlahuicole había oído hablar de lo ocurrido dos días antes a los jóvenes inexpertos que también habían participado en este tipo de ritual; él era el "plato fuerte" de la fiesta, por eso le llamaban oaoantin o el rayado.

El escenario estaba listo. Cuando Tlahuicole salió custodiado por dos guerreros águila ya había sido preparado para la ceremonia. Le habían ataviado únicamente con un máxtlatl o taparrabo de color rojo; tenía el cuerpo pintado de tiza blanca y le habían engalanado con un penacho pequeño de plumas. Tenía los ojos pintados de negro y el contorno de la boca de color rojo. Lo fueron escoltando atado, hasta llegar a una enorme piedra que se encontraba exactamente frente al Templo Mayor. Cerca de este se encontraba el templo del dios al cual sería dedicada su sangre, Xipe Totec. Esta enorme piedra era de forma circular, medía unos 90 cm de alto por unos 270 de diámetro. Se encontraba toda tallada por el canto, y en la parte superior unos rayos esculpidos sobresalían de una gran oquedad, simulando el sol resplandeciente. Una extensa multitud de gente de varias nacionalidades, sobre todo mexicas, se arremolinaban en la gran plaza, que estaba impregnada de una serie de humos de copal que varios sacerdotes habían estado esparciendo por el lugar. Gritos y alaridos de hombres y mujeres se oían como si fuera a presentarse un gran espectáculo en un cuadrilátero de boxeo. Tlahuicole, un tanto nervioso, solo centraba su mirada firme en los ojos del gran tlatoani, el cual lo miraba y analizaba los preparativos de la ceremonia.

En ese momento, los guerreros lo acercan a la gran piedra circular. Lo subieron y le ataron uno de los pies en el centro de la piedra. Entre tanto, Tlahuicole observaba cómo varios sacerdotes ya habían ocupado su lugar, muy cerca de la gran piedra. Estaban ataviados con diversos atributos que representaban a todos los dioses. Un icpalli o asiento real especial, colocado muy cerca del gran señor de Tenochtitlan, estaba destinado al sacerdote principal, que oficiaría el rito. Casi a punto de iniciar la ceremonia comenzaba a sonar una música ensordecedora. Los cozcateca, un grupo de músicos especializados, habrían comenzado a hacer sonar los tambores o huéhuetl y los teponaxtles, también una especie de tambores mucho más alargados y elaborados de madera. La gente comenzaba a gritar y se arremolinaba alrededor del temalácatl. Tlahuicole había oídio hablar del rito, pues era realmente famoso. No sabía que algunos de los guerreros que lo escoltaron desde su salida serían realmente sus principales enemigos en esta "contienda", ya que el sacrifico consistía precisamente en que debía enfrentarse a cuatro guerreros de alto nivel, dos guerreros águila y dos guerreros jaguar, quienes lucían su armamento al sol, consistente en un macuahuitl completamente afilado con navajas de obsidiana, un escudo y seguramente dentro de sus engalanados trajes de jaguar y águila portarían un ichachuipill para su defesa. Él aún no tiene armas, de pronto se acerca un personaje ataviado con una piel de jaguar y le entrega sus únicas armas, un bastón de madera decorado con plumas, y que a diferencia del de sus oponentes no lleva navajas de obsidiana, y un pequeño escudo para su defensa.

El objetivo de sus enemigos será aniquilarlo o por lo menos "rayarlo", es decir, producirle alguna pequeña herida con la cual se considerará terminado el ritual, ya que de esta manera Tlahuicole habrá perdido la batalla y no quedará más remedio que sacarle el corazón frente a la multitud en esa misma piedra en la que se encuentra atado. Él sabe perfectamente que hasta ahora nadie ha podido vencer a los cuatro guerreros, ya que son de los más experimentados y sus sistemas de armamento son mucho más efectivos que el que le han dado; es decir, se encuentra en total desventaja. Algunos han llegado a afirmar que le han entregado cuatro piñas de árbol que le servirán absurdamente de proyectil.

De esta forma, el señor de Tenochtitlan y, sobre todo, el gran sacerdote dan la orden para que comience la refriega. El primer guerrero águila no tarda en dar el primer paso para subir a la gran piedra, cuando Tlahuicole le propina el primer bastonazo en la cabeza, de forma que lo deja fuera de combate. Un gran grito de la gente se escucha alrededor de la piedra, y el segundo guerrero águila, con un grito de coraje, salta hacia la piedra y comienza a brindar certeros golpes con el macuahuitl, artefacto que no tarda en perder su filo al chocar sobre el escudo de Tlahuicole, quien de regreso propina unos cuantos golpes con toda su furia sobre las piernas del guerrero águila, que sin mucha posibilidad no logra defenderse y cae al suelo para que el guerrero tlaxcalteca aproveche y le propine tantos bastonazos en el rostro que termina por romperle la nariz y dejarle boca abajo, desmayado.

El tercer guerrero, uno de la estirpe de los jaguares, tira del cuerpo de su compañero y se sube a la piedra, comenzando a hacer algunos movimientos intimidatorios para poder lograr, en el momento preciso, asestar algunos golpes. Entre tanto, Tlahuicole solo balancea su bastón con un movimiento de muñeca, preparándolo para cualquier tipo de ataque que el guerrero jaguar intente.

De esta manera, un nuevo combate comienza por parte del guerrero jaguar, que se ve frustrado cuando intenta asestar diversas estocadas a su oponente, que son constantemente desviadas con su bastón. Tlacuicole está agotado, y cuando parece que por ello podría sucumbir ante el guerrero jaguar nuevamente lo deja fuera de combate, al igual que al siguiente efectivo. Cuando parecía que Tlahuicole podía salir victorioso le dan una amarga sorpresa: un nuevo guerrero será su nuevo sufrimiento, pero esta vez un guerrero zurdo, al que aun así logra vencer. Dicen las narraciones históricas que este personaje alcanzó a derrotar ya no a cinco sino a siete guerreros de alto nivel sin haber recibido ningún tipo de herida. Por ello, el señor de Tenochtitlan le ofreció ser capitán general de los ejércitos mexicas o por lo menos de alguna de las provincias, pero en honor a su dignidad y a su patria, narran las fuentes que Tlahuicole prefirió morir bajo el filo de un pedernal incrustado bajo su pecho. Este es uno de las pocos casos en que la historia mexica registra cómo un guerrero enemigo logra vencer a sus oponentes en la piedra de sacrificios, ya que en la mayoría de los casos eran sacrificados en cuanto se producía la más mínima herida.

En varios casos, pasada la muerte ritual dependiendo de la ceremonia, el mes y la deidad a la que se le ofrendara, comenzaban algunos rituales denominados postsacrificio. Algunos de estos, como el posterior al del rayamiento, consistían en el desollamiento de la víctima, ritual que parece que solo se practicó en Mesoamérica y no en ninguna otra parte del mundo.

Después de sacrificar a la víctima del Tlaca-xipehualiztli, se le quitaba la piel para que un sacerdote de alto nivel se vistiera con ella y realizara algunos actos rituales posteriores. Para lograrlo, el cadáver era llevado a un templo especial en donde lo golpeaban con varas hasta levantarle el cuero y después lo despellejaban. Para poder vestir la piel, parece que dejaban algunas partes libres, como la espalda, de donde se amarraba la piel directamente al cuerpo del sacerdote, tal como aparece muchas veces representado en diversas esculturas mexicas y teotihuacanas. Resalta el hecho de que en estas figuras se vea el macabro atavío con una serie de relieves que dan a entender cómo la piel era volteada y toda la dermis que estaba en contacto con el músculo, la sangre y la grasa cuando la víctima estaba viva, era ahora la parte que se encontraba expuesta cuando el sacerdote la vestía, por ello se le daba esa textura en sus representaciones escultóricas.

En muchos casos también sabemos que después de la muerte ritual, sobre todo si esta se llevaba a cabo por decapitación, los cráneos de los fallecidos eran ensartados en una serie de espigas de madera para ser expuestos en grandes muros de cráneos llamados tzompantli. De este tipo de rituales tenemos suficientes evidencias, desde representaciones en piedra de estos muros e imágenes en códices a algunos hallazgos de este tipo, como el del poblado de Zultepec, en el estado de Tlaxcala donde se han localizado restos de hispanos e indígenas sacrificados con indicaciones en el cráneo de haber sido perforados para ensartarlos en las espigas del tzompantli.

Otro tipo de rituales postsacrificio eran los antropofágicos; es decir, aquellos en los que se comía el cadáver del sacrificado. Pese a lo que popularmente se ha difamado, era sobre todo una antropofagia de tipo ritual y no por el mero gusto gastronómico. Sin embargo, este era un "privilegio" de los miembros de las más altas las esferas de la vida política y religiosa mexica, ya que solo unos cuantos podían acceder a la carne de los sacrificados. Resulta bastante extenso el problema de la antropofagia mesoamericana, por lo que no podremos incluirlo en este volumen y remitimos al lector a las dos excelentes obras de Yólotl González Torres y Michel Graulich.

Pasemos ahora a entender cómo los mexicas veían el mundo de los muertos.

Creencias en el más allá

Desde los tiempos más antiguos existía en Mesoamérica un fuerte culto a los muertos. Desde el Preclásico se han recuperado innumerables entierros en sitios como Tlatilco, en el estado de México, y Teotihuacan, tanto de grandes dignatarios como de la gente común dentro de la unidades habitacionales. Tenemos evidencia de la forma en que, por ejemplo, los teotihuacanos representan en pintura mural algunos de los lugares donde iba a parar el alma de los difuntos. Sin duda, estas explicaciones forman parte de este núcleo duro que tuvo continuidad con los mexicas y que aún en nuestros tiempos, en el sincretismo cultural entre los pueblos indígenas y los europeos, parte de estas ideas sigue vigente. Gran parte de lo que a continuación conoceremos está presente en rituales y fiestas que los mexicanos celebran actualmente, por supuesto con sus respectivos matices.

Primero debemos decir que para los mexicas la muerte no era propiamente la destrucción de esta vida y el inicio de la verdadera, sino que por el contrario formaba parte de ese equilibrio cósmico y suponía una transformación. Realmente la muerte se concebía como la desintegración y el transporte de las entidades anímicas que se encontraban alojadas en el interior del cuerpo, el cual, evidentemente, también sufría una destrucción, en este caso en la sangre y los tejidos. El teyolía era el alma que residía en el corazón y estaba destinada a viajar al mundo del "premio y castigo", y la forma de fallecer determinaba el lugar final al que se iba y la forma de enterramiento. Las geografías funerarias, es decir, los lugares a donde iban a residir las almas de los muertos, no estaban determinadas por las característica de las vidas, tal como se concibe en el mundo cristiano, sino por la circunstancia en la que se moría. De esta manera, una entidad anímica alojada en el corazón viajaba ya fuera al mundo de los muertos, al cielo del sol o al universo de Tláloc.

Al lugar de los muertos, el Mictlan, llegaban aquellos que perecían por muerte natural. Al sol accedían principalmente los guerreros que morían en el campo de batalla, para servir al astro rey por cuatro años. Esto incluía a un tipo de personajes llamados Cihuateto, mujeres que murieron durante el primer parto y se transformaron en mujeres semidescarnadas que salían por las noches buscando a sus hijos, un antecedente de la famosa Llorona de tiempos coloniales. Supuestamente, su lucha durante el parto era equiparada por los mexica a un campo de batalla, por tanto eran como las mujeres guerreras que ascendían al Sol y se transformaban en este tipo de seres mitológicos.

A los dominios del señor de la lluvia, el Tlaolcan, arribaban todos aquellos que morían por alguna causa acuática o vinculada a ella. En este caso podría tratarse de ahogados, de muertos por un rayo, de leprosos o de hidrópicos.

Existía un último lugar, una especie de limbo al que accedían aquellos niños que morían prácticamente recién nacidos. Era el Chichihual-cuauhco, representado por un gran árbol que alimentaba a estos pequeños antes de que les tocara una segunda oportunidad para vivir.

Algunos investigadores sugieren que el alma de los tlatoque estaba fraccionada, ya que una parte de ella podía ascender al Sol como guerrero y otra se dirigía, después de cuatro años, hacia el Mictlan, bajando por los nueve pisos del inframundo, sorteando todo tipo de problemas, entre ellos un viento tan fuerte que cortaría como navajas de obsidiana, y un río en cuyo cruce le acompañaría un perro, que le ayudaría como guía. A este camino para acceder al inframundo se le describe como un lugar muy ancho, oscurísimo, que no tiene luz ni ventanas.

La variedad de dioses de la muerte es amplia. Destacan Acolnahuacatl, Acolmiztli, Chalmécatl, Yoaltecuhtli, Chalmecacíhuatl, pero ninguno como el amo y señor de los muertos antes descrito y del cual tenemos una reciente y especial referencia arqueológica, Mictlantecuhtli, también conocido como Nextepehua.

Llegada la Quinta Temporada de exploración del Proyecto Templo Mayor en el año de 1994, una serie de trabajadores se encontraba excavando en un túnel bajo la actual calle de Justo Sierra, en el centro de la Ciudad de México, cuando de pronto sus ojos se admiraron al encontrar en una de las paredes de lodo el rostro descarnado de un personaje. Se trataba de la imagen cadavérica del dios de la muerte elaborada en arcilla y que estaba custodiando la entrada de uno de los accesos principales del Recinto de las Águilas. Pero cuál fue su sorpresa y la de todo el equipo cuando reconocimos que no era una, sino dos, las grandes esculturas que estaban por desvelar algunos secretos.

Después de que el equipo desenterrara dichas esculturas, que se encontraban desperdigadas en numerosos fragmentos, se llevó a cabo el trabajo de restauración y un análisis minucioso de las esculturas. Primero debemos decir que, efectivamente, se trataba de dos grandes piezas de tamaño natural elaboradas en arcilla en cuatro grandes partes que encajaban por medio del sistema de caja y espiga. Los personajes se encontraban de pie, con los brazos extendidos hacia el frente en actitud de ataque y mostrando, como la mayoría de los dioses de la muerte, unas impresionantes garras. Hay un rasgo de estas dos obras de arte que ha causado cierta polémica entre los investigadores Leonardo López Luján, director del proyecto, y Christian Duvergier. Es un elemento de tipo lobular que se desprende por debajo del costillar de esta pieza. Dicho elemento ha sido interpretado por Duvervgier como el corazón, mientras que Luján lo ha identificado con el hígado, órgano en el que se alojaba la entidad anímica del ihiyotl; es decir, una de las tres almas del cuerpo identificado por los mexicas en la cual confluían algunos estados de ánimo como la ira, y donde se gestaban el vigor, la fuerza vital, la sexualidad y el proceso digestivo. Nos sumamos a la propuesta de Luján, considerando que efectivamente esta sección de las esculturas representa efectivamente al hígado y no al corazón.

Uno de los puntos que también causaba cierta polémica era que toda la parte superior de la escultura, incluyendo la cabeza y los hombros, estaba recubierta de una pequeña capa de color ocre que originalmente se pensaba que podría ser de restos de pigmentos, pero al hacer los estudios pertinentes los investigadores quedaron perplejos al darse cuenta de que más bien se trataba de restos de sangre que habían sido vertidos sobre la escultura en un ritual de consagración del edificio de las águilas, y más aún cuando se pudo constatar con algunas imágenes del *Códice Magliabechano* donde aparece la misma escultura sobre una banqueta en el momento en que unos mexicas la bañan con sangre humana. Nuevamente en esta ocasión la arqueología y las fuentes documentales sirvieron de base para conocer algunos aspectos más de las culturas mesoamericanas. Los resultados definitivos de esta interesante investigación ya están a la vista en un reciente libro publicado por López Luján en dos extensos volúmenes, trabajo que sin duda es un referente obligado para conocer los aspectos rituales de este pueblo desde la perspectiva de la arqueología.

Pero esta pieza no es la única que produjeron los artistas indígenas. En la plástica mexica podemos encontrar una infinidad de monumentos escultóricos que brindan una especial información sobre el mundo de los muertos entre los mexicas. Contamos con diversas representaciones en piedra de las Cihuateteo sentadas en las rodillas y con las manos en posición de ataque, imágenes de seres semidescarnados vinculadas a los dioses de la muerte y el inframundo, como Mictecacihuatl, Tlaltehuctli, y algunos animales de la noche, como son arañas, alacranes, mariposas, murciélagos, fielmente representados en una variedad interesante de piedras monumentales mexicas.

En el mundo de los muertos del universo mexica también existían seres del inframundo que muchas veces visitaban a los vivos. Ya hemos hablado de las Cihuateteto, pero además existían algunos otros personajes de la sobre naturaleza que podríamos identificar con fantasmas, de acuerdo con documentos como el *Códice Florentino*. En muchas ocasiones se narra que los mexicas sufrían varias apariciones durante sus viajes a la siembra o a sus casas, como ver de pronto un fantasma gigante o bien una enana llamada Cuitlapanton.

Las prácticas funerarias mexicas se llevaban a cabo en las dos escalas básicas de la sociedad. Por un lado, los macehualtin tenían la costumbre de enterrar a sus muertos bajo sus casas, es decir, que en el México precolombino no existía propiamente el concepto de cementerio. Era común que a los muertos se les envolviera en un tapete elaborado de petate, un tipo de fibra vegetal que aún es utilizado en algunas partes de México por las comunidades indígenas, y después eran enterrados dentro de las casas. De ahí que un dicho popular mexicano haga alusión cuando una persona fallece al decir que "ya se petateó".

Sabemos que los pillis, como ya hemos podido relatar antes, llevaban a cabo extraordinarias ceremonias, más aún si se trataba de los más importantes soberanos, de los cuales conservamos un extenso complejo de ofrendas funerarias en el Templo Mayor de Tenochtitlan, recientemente estudiadas por la arqueóloga Ximena Chávez.

Sabemos que las ceremonias funerarias desarrolladas por medio de la cremación son más específicas del Posclásico, y exponer el cadáver al fuego era una de las prácticas más comunes entre los mexicas. La inhumación directa se llevó a cabo solo en contadas ocasiones, por aquellos que al morir debieran terminar sus días en el

Chichihualcuauhco o al Tlalocan. El acto de la cremación permitía, que a través del fuego, la comunicación entre el mundo de los vivos y los muertos. Dejemos de momento el mundo de los muertos y adentrémonos en las ciencias ocultas mexicas, la magia y la adivinación.

CIENCIAS DE LO OCULTO: MAGOS Y ADIVINOS

Los seres humanos podían acceder a una comunicación directa con lo sobrenatural por otros medios, además del sacrificio. También existía una serie de técnicas que podían llegar a establecer contacto con lo divino. Este tipo de acciones del hombre son una serie de saberes y técnicas que permiten una comunicación directa con ese mundo poco accesible, pero este conocimiento era sobre todo oculto, no podía acceder cualquiera a este saber, que si embargo era un conocimiento que ponía al hombre en una situación de subordinación respecto a lo sobrenatural; nos referimos a la magia y la adivinación.

Una de las principales fuentes de investigación en torno a la magia mexica es, por un lado, la fuente escrita, pero sobre todo la gran cantidad de conjuros que durante el siglo XVII Ruiz de Alarcón pudo recobrar de diversos estados de México como son Guerrero, Puebla y Morelos, y que se publicó bajo el nombre de *Tratado de supersticiones...*

La magia, por una parte, debe ser considerada como una técnica para acceder a lo sobrenatural en una acción personalizada dirigida a convencer, amedrentar o engañar, mientras que la adivinación es una acción dirigida solo a conocer.

De esta manera, los magos del mundo mexica conocían por lo menos dos técnicas básicas para convencer a las fuerzas sobrenaturales: el nahualatolli o lenguaje de lo oculto, lenguaje que solo ellos podían conocer, en el cual intervenían el cliente, sus colaboradores y los agresores. Parte de este lenguaje incluía el conocer el nombre secreto de las cosas, de manera que permitiera a los magos una acción directa de estos seres en su forma secreta. Este tipo de lenguajes puede también ser conocido como conjuro.

La segunda técnica registrada es a través del consumo de psicotrópicos, que permitían acceder al mundo de los dioses. La magia estaba muy conectada con otras actividades de gran importancia como la medicina, y pese a que la magia era un acto solo para especialistas, había quien podía conocer algunos conjuros para activarlos en la vida cotidiana, como durante la pesca, la siembra, la caza o incluso la tala de un árbol, como afirma López Austin, una de las principales autoridades en este tema.

Imaginemos por un momento, como puede suceder en el México actual en las comunidades indígenas, a un joven leñador que antes de actuar para poder derribar un árbol sabe que este ser de la naturaleza está formado por una materia pesada y mundana y solo necesita utilizar su hacha para derribarlo, pero a su vez sabe que una parte de ese árbol está formada por una pequeña parte de sustancias divinas, por lo que antes de cortarlo pronuncia un conjuro para evitar ser dañado por el árbol. Este tipo de actitudes era común en el México antiguo dentro de la vida cotidiana, pero cuando la acción era más importante, como inaugurar una casa o desarrollar algunas técnicas adivinatorias y medicinales, era necesario recurrir al especialista.

De esta misma forma se podía ejercer la magia medicinal mexica. Por un lado se actuaba sobre la naturaleza y se ejercía también una acción dirigida a los aspectos sobrenaturales que empeoraban la lesión, la enfermedad o la cuestión patológica que se tratara.

Se concebían de esta forma dos tipos de enfermedades: la enfermedad mágica y la sobrenatural. La mágica se distinguía porque estaba causada por hombres como chamanes o brujos y podía curarse por la intervención humana; mientras que en la segunda es necesaria la petición de la cura a los seres sobrenaturales.

Así, los mexicas mezclaban técnicas que debemos decir "científicas", mágicas y en ocasiones religiosas para curar las enfermedades. De esta forma, los mexicas consideraban que una buena parte de las enfermedades eran causadas por objetos mágicos, por humanos o por seres naturales que se infiltraban en el cuerpo. Los médico-brujos utilizaban parte de sus conjuros, llamados nahuallatolli o discurso de los brujos, que producían un efecto de tipo placebo sobre los pacientes. Además, suministraban sustancias y medicamentos que eran los que en realidad les curarían las enfermedades.

Por ejemplo, cuando se daba la picadura de un escorpión se chupaba el veneno, se administraba tabaco sobre la herida y se invocaba el mito del origen de los escorpiones.

Mucho se relacionaban las características del medicamento para curar enfermedades con características similares. Por ejemplo, con la Flor de corazón "yoloxochitl" trataban de curarse enfermedades cardíacas, con la hierba llamada tzotzoca tzihuitl, "hierba verruga", se curaban las verrugas, etc.

Pero las enfermedades no solo podían curarse con hechizos y conjuros y la asociación simpática de la cura y la enfermedad, sino que también existía un fuerte conocimiento de la medicina herbolaria con una larga tradición que aún se utiliza en el México actual y que está reconocida por la medicina científica. Esta herbolaria, de la que existe una gran abundancia en los recursos naturales mexicanos, fue sobre todo entendida por los antiguos mexicanos y fue uno de sus principales recursos para curar realmente sus malestares. Muchos de estos medicamentos naturales presentan propiedades curativas reales, que con una buena administración pueden ayudar a contrarrestar varios malestares.

En alguna ocasión una mujer mazahua del estado de México me comentó que a su madre le habían hecho una brujería, pues recordaba que desde su ventana todos los días veía cómo un burro se paraba frente a su casa e inclinaba la cabeza y el cuerpo frente a esta. En otra ocasión, decía que constantemente veía cómo un perro de color negro también se acercaba a la puerta de su casa, tomando la misma actitud que el burro. Ella explicaba esto y lo justificaba diciendo que un brujo que vivía cerca de su pueblo estaba intentando lanzar una serie de hechizos malignos sobre su casa y su madre.

En el lenguaje popular de muchos pueblos de casi cualquier parte de la República Mexicana es también común encontrar narraciones de gente que dice observar a lo lejos luces brillantes que vuelan por los cielos, luces que generalmente se observan en lo alto de los cerros y que son solo explicables a ojos de los habitantes de estos pueblos como "brujas" que están rondando las casas para chupar la sangre a los niños. Dicen que estas "brujas" son mujeres como cualquier otra y que por las noches suelen quitarse los brazos y las piernas y dejarlos en un fogón para que el calor conserve las partes y se transformen en pavos para salir volando a buscar a sus víctimas. Argumentan diversas formas mágicas para evitar que entren a las casas, como colocar unos pantalones del revés en la puerta, un vaso con agua o unas tijeras.

La larga tradición de la magia precolombina explica todas estas narraciones fantásticas por la conservación de muchos de estos rasgos mágicos. Se sabe de la existencia en tiempos mexicas de un tipo de magos malvados, conocidos en lengua náhuatl como nahuales, cuyas características son precisamente las mismas que se manejan en las sociedades indígenas de ahora y que se contemplan bajo este tipo de narraciones fantásticas.

Existían en tiempos mexicas diversos tipos de magos malvados que tenían una infinidad de procedimientos para hacer el mal a sus enemigos, como soplar el maleficio sobre la gente, quemar las efigies de sus víctimas o dormir a sus enemigos con pases mágicos para robarles. Se creía en un tipo de magos llamados teyolocuani que comían el corazón de sus enemigos. Pero de todos los magos, los más característicos y que se ajustan a las descripciones actuales eran los llamados mometzcopinque, los cuales, como ha registrado López Austin, "se arrancaban las piernas, colocaban en los huecos unas patas de pavo y salían volando con propósitos maléficos". Hechiceras que podríamos identificar como las famosas brujas de sitios como Peña de Lobos en el Estado de México. Y por supuesto, los nahuales, quienes tenían la propiedad de transformarse en otros seres tomando la forma de muchos animales como pumas, jaguares, perros, pavos o bolas de fuego. Pero este, a diferencia de las creencias actuales, no se consideraba un mago malvado necesariamente.

Nuevamente el uso de psicotrópicos y la auto mortificación eran los medios por los cuales los adivinos podían acceder al conocimiento de un absoluto presente, integrándose como observadores en la geometría cósmica antes descrita. Así, se podían conocer los secretos del pasado, del futuro y de lo oculto. Por ello estaban muy solicitados, para hacer cosas tan ambiguas como reencontrar las cosas robadas o hasta a la mujer desaparecida del marido. También podía precisar a través de las cuentas calendáricas y de los registros históricos fechas específicas, tanto malas como buenas Por ello, dependiendo de las combinaciones podían ser fechas de mala o buena suerte. Me refiero a un tipo de personajes que en tiempos prehispánicos se consideraban adivinos. Estos estaban presentes en el momento en que un niño nacía, ya que justo después se le otorgaba un nombre secreto o calendárico que le revelaría mucho de su presente y su futuro en esta tierra.

En la actualidad, pese a que el estudio de la religión mesoamericana es, a mi juicio, uno de los temas más fructíferos, aún siguen vigentes diversos problemas que causan polémicas, como pueden ser la unidad y diversidad de la religión mesoamericana y sus transformaciones históricas, el asunto de los sacrificios humanos en general y sobre todo su función social, el problema del calendario y su grado de precisión.

Con este tema llegamos al final de nuestro viaje por un mundo que, después de más de 200 años de investigación, aún sigue presentando grandes momentos en su proceso de conocimiento. Hay quien dice, ignorantemente, que todo está ya descubierto, pero ¡véanse los recientes hallazgos del Templo Mayor! Yo más bien me admiraría por todo lo que falta por descubrir.

Desde donde se posan las águilas,
Desde donde se yerguen los jaguares,
El Sol es invocado.
Como un escudo que baja , así se va poniendo el
Sol.
En México está cayendo la noche,
La guerra merodea por todas partes,
¡Oh, dador de vida, se acerca la guerra!
Orgullosa de sí misma
Se levanta México Tenochtitlan
Aquí nadie teme a la muerte en la guerra.
Esta es nuestra gloria, este es tu mandato,
¡Oh dador de vida¡

Cantares mexicanos

CRONOLOGÍA

1111- Salida de los mexicas de Aztlan
1165- Celebración del fuego nuevo en Coatepec
1217- Celebración del fuego nuevo en Apaxco
1279- Llegada de los mexicas a Chapultepec
1299- Expulsión de Chapultepec
1323- Huida de Culhuacan
1325- Fundación de México-Tenochtitlan
1337- Fundación de México-Tlatelolco
1363- Muerte de Tenoch
1375- Entronización de Acamapichtli
1395- Muerte de Acamapichtli
1396- Reinado de Huiztilihutl
1417- Muerte de Huitzilihuitl
1417- Reinado de Chimaplpooca
1426-Muerte de Tezozomoc, señor de Azcapo-
    zalco
1427- Asesinato de Chimalpopoca

1428- Reinado de Izcóatl y caída del Imperio Tepaneca

1440- Reinado de Moctezuma I

1469- Reinado de Axayácatl

1481- Reinado de Tízoc

1486- Reinado de Ahuízotl

1505- Reinado de Moctezuma II

1519- Arribo de los españoles a costas veracruzanas

1520- Asesinato de Moctezuma II

1521- Caída de México Tenochtitlan

BIBLIOGRAFÍA

BARLOW, Robert. *Tlatelolco. Fuentes e historia,* Obras de Robert Rarlow, v. II. México: INAH, UDLA, 1989.

CERVERA OBREGÓN, Marco A. *El sistema de armamento entre los mexicas,* tesis de licenciatura en arqueología. México: ENAH-INAH, 2003.

---. *El armamento entre los mexicas.* Madrid: Anejos de Gladius, Polifemo, CSIC, 2007.

CARRASCO, Pedro. *Estructura política y territorial del imperio tenochca. La Triple Alianza de Tenochtitlan, Tezcoco y Tlacopan.* México: Colegio de México, Fondo de Cultura Económica, 1996.

---. *Economía, política e ideología en el México prehispánico.* México: Nueva Imagen, CIS INAH, 1978.

DAVIES, Nigel. *El Imperio Azteca.* México: Alianza Editorial, 1992.

DUVERGIER, Christian. *El origen de los aztecas.* México: Editorial Grijalbo, 1987.

GRAULICH, Michael. *Ritos Aztecas, las fiestas de las veintenas.* México: INI, 1999.

GONZÁLEZ TORRES, Yólotl. *El sacrificio humano entre los mexicas.* México: Fondo de Cultura Económica, 1985.

HASSIG ROSS. *Comercio tributo y transportes, economía política en el Valle de México durante el siglo XVI.* México: Alianza Editorial Mexicana, 1990.

LAMEIRAS, José. *Los déspotas armados, un espectro de la guerra prehispánica.* Zamora: Colegio Michoacano, 1985.

LEÓN PORTILLA, Miguel. *La visión de los vencidos.* México: UNAM, 1959.

---. *La filosofía náhuatl estudiada en sus fuentes.* México: UNAM, 1985.

---. *Los antiguos mexicanos a través de sus crónicas y cantares.* México: Fondo de Cultura Económica, 1999.

---. *Aztecas-mexicas. Desarrollo de una civilización originaria,* Madrid: Algaba Ediciones, 2005.

LÓPEZ AUSTIN, Alfredo. *Los mitos del Tlacuache.* México: Alianza Editorial, 1990.

LÓPEZ AUSTIN, Alfredo; LÓPEZ LUJÁN, Alejandro. *El pasado indígena.* México: Fondo de Cultura Económica, 1996.

LÓPEZ LUJÁN, Leonardo. *Las ofrendas del Templo Mayor de Tenochtitlan.* México: INAH, 1993.

---. *La Casa de las Águilas. Un ejemplo de arquitectura religiosa mexica,* 2 vols. México: Fondo de Cultura Económica, 2006.

MARTÍNEZ, José Luis. *Nezahualcóyotl, vida y obr.* México: FCE, 1972.

MATOS MOCTEZUMA, Eduardo. *Los aztecas, Corpus Precolombino.* México: Jaca-book, 1995.

MATOS MOCTEZUMA, Eduardo; SOLÍS, Felipe (eds.). *Aztecas.* Turner: Royal Academy of Arts, 2003.

SOLÍS, Felipe. *Gloria y Fama Mexica. México:* Smurfit Cartón y Papel, 1991.

---. *El Imperio Azteca.* México: Fomento Cultural Banamex, 2004.

SOUSTELLE, Jacques. *La vida cotidiana de los aztecas en vísperas de la conquista,* FCE, 1956.

CRÓNICAS

CORTÉS, Hernán. *Cartas de Relación.* México: Editorial Porrúa, 1945.

DE ALVA IXLILXÓCHITL, Fernando. *Historia de la nación chichimeca.* Madrid: Crónicas de América, 1985.

DÍAZ DEL CASTILLO, BERNAL, *Historia Verdadera de la Conquista de la Nueva España,* 2 vols. México: Editorial Porrúa, 1999.

DURÁN, Diego, *Historia de las Indias de la Nueva España,* 2 vols. México: Editorial Porrúa, 1967.

DE Sahagún, Fray Bernardino. *Historia General de las Cosas de la Nueva España.* Cien de México, Introducción y Paleografía de Beatriz Quintilla y Alfredo López Austin. México: CNCA, SEP., 1989.

Tezozomoc, Hernando. *Crónica mexicana.* Edición de Gonzalo Díaz y Germán Vázquez Chamorro. Madrid: Crónicas de América DASTIN, 2001.

Revistas

Arqueología Mexicana. INAH-Editorial Raíces.
Estudios de Cultura Náhuatl. Instituto de Investigaciones Históricas, UNAM.